Título original: *Tommi non mollare!*
Publicado originalmente en Italia por Edizioni Piemme, S.p.A.
Publicado por acuerdo con Grandi & Associati
Adaptación del diseño de la cubierta: Random House Mondadori / Judith Sendra

Primera edición: junio de 2012

© 2009, Edizioni Piemme S.p.A.
   Via Tiziano 32. 20145 Milán, Italia
© 2012, de la presente edición en castellano para todo el mundo:
   Random House Mondadori, S. A.
   Travessera de Gràcia, 47-49. 08021 Barcelona
© 2012, Santiago Jordán Sempere, por la traducción
Texto de Luigi Garlando
Ilustraciones de Marco Gentilini
Proyecto editorial de Marcella Drago y Clare Stringer
Proyecto gráfico de Gioia Giunchi y Laura Zuccotti
Color de Davide Turotti

Printed in Spain – Impreso en España

ISBN: 978-84-8441-941-9
Depósito legal: B-14.343-2012

Compuesto en Compaginem

Impreso en Liberdúplex
Crta. BV2249, Km. 7,4
08791 Sant Llorenç d'Hortons

Encuadernado en Encuadernaciones Bronco

GT 1 9 4 1 9

Luigi Garlando

¡No te rindas, Tomi!

ILUSTRACIONES DE MARCO GENTILINI

montena

¿QUIÉNES SON LOS CEBOLLETAS?

Los Cebolletas son un equipo de fútbol. Han ganado una liga, pero para ellos la diversión y la amistad siempre serán más importantes que el resultado. A la pregunta de si se sienten pétalos sueltos, responden: «¡No, somos una sola flor!».

GASTON CHAMPIGNON
ENTRENADOR

Ex jugador profesional y chef de alta cocina. Nunca se separa de su gato, Cazo. Sus dos frases preferidas son: «El que se divierte siempre gana» y «*Bon appétit, mes amis!*».

TOMI
DELANTERO CENTRO

El capitán del equipo. Lleva el fútbol en la sangre y solo tiene un punto débil: no soporta perder.

About the Author

SINDA JORDAN lives in Colorado with her two daughters. As an intuitive counselor, she helps others develop a personal relationship with the angelic beings that watch over them, guide them, and unconditionally love them. She currently gives workshops based on the teachings of *Inspired by Angels*.

NICO
ORGANIZADOR DEL JUEGO

Le encantan las mates y los libros de historia. Antes odiaba el deporte, pero ahora ha descubierto que en el terreno de juego la geometría y la física también pueden ser de gran utilidad...

BECAN
EXTREMO DERECHO

Es albanés y, aunque dispone de poco tiempo para entrenarse, tiene madera de auténtico crack: corre como una gacela y su derecha es inigualable.

LARA Y SARA
DEFENSAS

Pelirrojas y pecosas, se parecen como dos gotas de agua. Antes estudiaban ballet, pero en lugar de hacer acrobacias con la pelota se pasaban el día luchando por ella...

FIDU
PORTERO

Devora el chocolate blanco y le apasiona la lucha libre. Cuando ve el balón acercarse a la portería, ¡se lanza sobre él como si fuera un helado con nata!

JOÃO
EXTREMO IZQUIERDO

Un *meninho* de Brasil, el paraíso del fútbol. Tiene un montón de primos mayores, con quienes aprende samba y se entrena con el balón.

DANI
RESERVA

Sus amigos lo llaman Espárrago (y no es difícil adivinar por qué). Sus tres hermanos juegan al baloncesto, pero a él siempre se le han dado mucho mejor los remates y los cabezazos...

PAVEL E ÍGOR
DELANTEROS

Dos gemelos rubios de lo más avispados y rápidos, que en el campo tienen por costumbre charlar sin parar.

JULIO
EXTREMO DERECHO

Es velocísimo, da unos pases extraordinarios y ha jugado con los Tiburones Azules y luego en el Real Madrid con Tomi.

RAFA
DELANTERO CENTRO

Acaba de llegar de Italia, donde jugaba
con el equipo juvenil del Roma. Es alto,
rubio y lleva el pelo largo.

AQUILES
MEDIOCAMPISTA

Es el matón de la escuela, pero le gusta el
fútbol y, para entrar en los Cebolletas, ha
decidido suavizar un poco sus modales.

ELVIRA
DEFENSA

Era la capitana y una de las mejores jugadoras del Rosa Shocking. Tiene una hermosa tren-
za negra y es muy guapa.

BRUNO
CENTROCAMPISTA

Ex número 10 de los Diablos Rojos. Es
fuerte como un toro, pero tiene un corazón de lo más tierno y adora a los
animales.

RESULTADOS DE LA PRIMERA MITAD DE LA LIGA:

⚽ PRIMERA JORNADA

Cebolletas - Club Huracán	2-3
Leones de África - Súper Viola	4-1
Balones de Oro - Capitostes	0-0
Velocirráptores - Estrellas	2-1

⚽ SEGUNDA JORNADA

Capitostes - Cebolletas	3-2
Estrellas - Leones de África	0-3
Club Huracán - Balones de Oro	1-1
Súper Viola - Velocirráptores	2-1

⚽ TERCERA JORNADA

Cebolletas - Leones de África	4-1
Velocirráptores - Capitostes	3-1
Balones de Oro - Estrellas	1-2
Club Huracán - Súper Viola	2-0

⚽ CUARTA JORNADA

Leones de África - Balones de Oro	1-0
Velocirráptores - Cebolletas	1-2
Estrellas - Club Huracán	1-3
Súper Viola - Capitostes	2-0

⚽ QUINTA JORNADA

Capitostes - Estrellas	3-2
Cebolletas - Súper Viola	1-0
Balones de Oro - Velocirráptores	0-1
Club Huracán - Leones de África	0-0

⚽ SEXTA JORNADA

Capitostes - Club Huracán	0-1
Velocirráptores - Leones de África	1-3
Estrellas - Cebolletas	0-3
Súper Viola - Balones de Oro	1-2

⚽ SÉPTIMA JORNADA

Cebolletas - Balones de Oro	0-0
Leones de África - Capitostes	3-3
Estrellas - Súper Viola	1-2
Club Huracán - Velocirráptores	1-0

CLASIFICACIÓN GENERAL	
CLUB HURACÁN	17
LEONES DE ÁFRICA	14
CEBOLLETAS	**13**
VELOCIRRÁPTORES	10
CAPITOSTES	8
SÚPER VIOLA	7
BALONES DE ORO	6
ESTRELLAS	3

1
¡VOY A SER NICÖZIL!

Gaston Champignon y Nico van en el cochecito decorado con flores del cocinero-entrenador. Se mueven muy despacio porque la plaza del Conde de Casal está llena de coches y de hinchas que se dirigen hacia el estadio del Bernabéu, con bufandas y banderas blancas. Es domingo por la tarde y falta menos de una hora para que salte al campo el Real Madrid.

En el cielo las golondrinas también parecen apresurarse para no perderse el espectáculo. ¿Sabes lo que dice el refrán? «Una golondrina no hace la primavera.» Pero aquí hay más de una... Y, de hecho, la primavera ya ha llegado, trayendo consigo un hermoso sol tibio y unos días cada vez más largos.

Antes de entrar en el Bernabéu, monsieur Champignon compra una bocina de fútbol en un puesto.

—¿Tiene la intención de montar mucho jaleo? —le pregunta Nico, divertido.

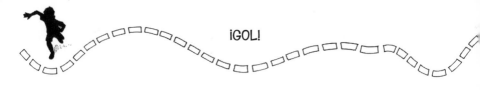
—No, la utilizaré en nuestros entrenamientos —responde el cocinero.

El locutor anuncia las alineaciones, el árbitro pita y empieza el encuentro.

—Te aconsejo que prestes especial atención a los movimientos de Özil, el número 10 del Real Madrid —sugiere Gaston Champignon.

—De acuerdo —contesta Nico—, aunque mi favorito en realidad es Xabi Alonso, porque lo sabe hacer todo: ataca, defiende, tira los penaltis, marca goles...

—Sí, pero tendrías que tener sus piernas y sus pulmones para imitarlo en un campo grande —rebate Champignon—. Será mejor que te concentres en Özil, que no corre tanto. Cuando vuelvas a vestir tu gloriosa camiseta número 10, ¡nos serás muy útil ocupando su posición!

Nico sonríe y sigue el balón con la vista.

Como recordarás, el lumbrera de los Cebolletas abandonó el equipo a mitad de la fase de ida, desanimado por las dificultades que le planteaba la nueva liga. Jugar en un campo de once jugadores es un deporte muy diferente al fútbol entre siete. El pequeño director de juego de los Cebolletas, enfrentado a adversarios más fuertes y experimentados, flanqueado por mediocampistas poderosos como Bruno y Aquiles, se sintió falto de preparación y pensó que era perjudicial para su equipo, hasta el punto de que decidió irse de los Cebolletas y dedicarse al ajedrez.

Pero en China recuperó el entusiasmo y la fe en sí mismo, entre otras cosas gracias a los sabios consejos del abuelo de Chen. De modo que ha decidido volver a incorporarse a los Cebolletas y ahora su entrenador está tratando de enseñarle a desempeñar una nueva función. Con la ayuda de Özil...

—¡Míralo! —le advierte Champignon al cabo de un cuarto de hora.

El jugador del Real Madrid ha recibido un balón de Di María al borde del área. Se vuelve hacia la derecha, por donde llega Sergio Ramos a la carrera, y finge cederle la pelota. En lugar de eso, sin mirar hace un pase vertical a Cristiano Ronaldo, que ha echado a correr al límite del fuera de juego. El balón atraviesa un bosque de piernas y el delantero centro portugués se planta solo ante el guardameta, remata de primeras y marca.

El estadio prorrumpe en un estallido de alegría. También se pone en pie Nico que, por su gran admiración a Xabi Alonso, se ha convertido en un hincha del Real Madrid.

13

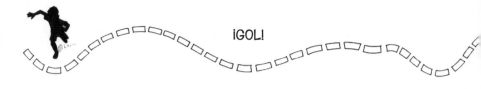

—¡Era la primera vez que Özil tocaba la pelota! —exclama el sabelotodo.

—Exacto —confirma Champignon—. Aunque no ha intervenido tanto en el juego como Sergio Ramos, que lleva recorridos veinte kilómetros, ni como Xabi Alonso, que ya ha dado al menos diez pases largos. Sin él, el Real Madrid seguiría empatado a cero, como nos pasó a nosotros contra los Balones de Oro; con su pausada visión y anticipación ha conseguido girar el partido en un momento. ¿Entiendes lo que te quiero decir?

Nico contesta con una sonrisa. Pues claro que lo entiende. Su entrenador le está proponiendo que se convierta en el Özil de los Cebolletas. Por eso le ha llevado a ver al Real Madrid en el Bernabéu.

¿Te acuerdas del partido contra los Balones de Oro? Nevaba. Los Cebolletas atacaron desde el silbido inicial, pero en todo el partido nadie logró dar un pase de la muerte a Tomi o Rafa. Así fue como los Balones de Oro, los penúltimos de la clasificación, lograron empatar a cero y llevarse un punto a casa.

Durante la fase de ida los Cebolletas han mejorado mucho, han hecho grandes progresos y se han familiarizado con el campo grande. Quizá al equipo solo le falta una cosa: un pequeño eslabón que conecte el centro del campo con el ataque, es decir, un jugador de gran clase que pueda dar buenos pases a los delanteros. Como ha hecho Özil con Cristiano Ronaldo. Nico ya no tiene miedo de perjudicar a su equipo. Sigue atentamente al número 10 del Real Madrid, que corre pero sin cansarse demasiado. El chico se alegra como si ya se viera imitando a Özil en el campo. Sonríe y piensa: «¡En la fase de vuelta los Cebolletas tendrán a un gran Nicözil!».

Armando, el padre de Tomi, está conduciendo el autobús número 54. En una parada ve subir a una chica con dos largas trenzas rubias, un mapa de Madrid en la mano y los auriculares del iPod metidos en las orejas. Es una belleza. Lleva un vaporoso vestido de flores azules y botas vaqueras de piel.

Una señora bastante mayor, cargada con dos bolsas de plástico en una mano, se acerca al chófer con cara de enfado y le dice:

—¿Le molestaría cerrar la boca y las puertas y echar a andar de una vez? Me gustaría meter mis helados en la nevera.

Armando mete la primera, ligeramente turbado.

15

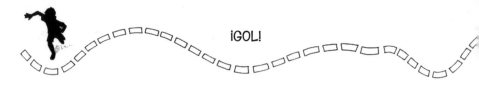
La chica rubia estudia con atención el mapa y de vez en cuando mira por la ventana, tratando de orientarse. El padre de Tomi se apresura a darle una explicación.

—En ese cartel está escrito «Prohibido hablar con el conductor», pero no le haga caso. Si necesita información no dude en pedirla, señorita.

La chica de las trenzas sonríe.

—Muy amable. En efecto, creo que me he perdido... Voy al paseo de la Florida. ¿Sabe usted dónde tengo que bajar?

—¡Pues claro, yo vivo en esa calle! —dice Armando—. La avisaré cuando lleguemos a la parada.

La chica, que habla correctamente el español pero con un poco de acento, le da las gracias con una hermosa sonrisa y se pone de nuevo los auriculares de su iPod. Baja justo enfrente de la parroquia de San Antonio de la Florida, donde está el campo de los Cebolletas.

En el autobús, un chico se acerca a Armando y le amonesta con tono de decepción.

—¿Por qué ha dejado que se bajara? No había visto nunca una chica tan guapa...

—Ni yo... —suspira el padre de Tomi, pero arranca de inmediato, en cuanto se da cuenta de que la señora de los helados lo está mirando con severidad.

En el vestuario, los miembros de los Cebolletas que han ido a China cuentan a sus compañeros sus maravillosas vacaciones.

Fidu tiene curiosidad.

—Y vosotros, ¿en qué os habéis gastado el dinero que ganamos a la lotería? —pregunta a los gemelos.

—Pronto lo veréis —contestan Pavel e Ígor poniendo cara de misterio.

—¿Cuándo? —replica João.

—Lo siento —responde Ígor—. Tendréis que esperar, así la sorpresa será mayor.

Como recordarás, diez Cebolletas ganaron diez mil euros a la lotería y ocho los emplearon para pagarse el viaje a China. Pero los gemelos no se apuntaron a esas vacaciones. ¿En qué habrán invertido los dos mil euros que les correspondían?

—A mí me parece que si los torturamos haciéndoles unas cuantas cosquillas los gemelos nos revelarían su gran secreto, y enseguida además... —propone Fidu, guiñándole el ojo a Tomi.

En un abrir y cerrar de ojos los Cebolletas inmovilizan a Pavel e Ígor y los acribillan a cosquillas, pero antes

17

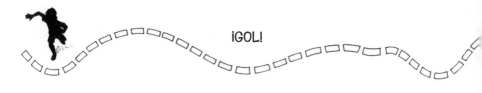

de que confiesen Aquiles interrumpe el juego con un grito que hace temblar a todos.

—¡¿Vais a dejar de hacer el tonto?! Os recuerdo que el domingo se reanuda el campeonato y que el primer encuentro será contra el Club Huracán, el primer clasificado. ¡Salgamos a entrenar! El míster ya está en el campo.

Nadie se atreve a objetarle nada al antiguo matón.

Los gemelos, sanos y salvos, ríen burlones y se dirigen hacia el campo.

—¿No te parece que Aquiles está un poco nervioso estos días? —pregunta Becan al capitán.

—Yo también lo había notado —conviene Tomi.

Después de los ejercicios de gimnasia, Gaston Champignon organiza un juego para probar la nueva alineación, en la que Nico jugará «a la manera de Özil». Naturalmente, es un ejercicio extraño y divertido porque, como bien sabes, el primer ingrediente del cocinero-entrenador siempre es la diversión.

Champignon se saca del bolsillo la bocina que compró en el Bernabéu y comprueba si funciona.

¡Funciona... incluso demasiado bien!

Sara, que estaba a su lado, se tapa las orejas con las manos y exclama:

—¡Me ha destrozado un tímpano, míster!

Los Cebolletas sueltan una carcajada.

—Perdona, Sara, no me imaginaba que sonara tan fuerte —se excusa el cocinero-entrenador, antes de explicar el ejercicio—: Tomi y Rafa se desplazarán por el área grande, tratando de desmarcarse de las gemelas, de Elvira y de Dani. Cada vez que suene la bocina, Nico tendrá que hacer un pase a uno de los dos delanteros. ¿Alguna pregunta?

En cuanto sale del área, el número 10 echa a correr en todas direcciones, con el balón entre los pies. Tomi y Rafa se cruzan delante de la portería protegida por Fidu. Los cuatro defensas los tienen bajo control, listos para intervenir.

Champignon toca la bocina.

Nico ve libre al Niño y trata de pasarle el balón con una parábola lenta, pero Dani echa a correr y se adelanta al italiano con la cabeza.

—¡Estupendo, Dani! —le felicita Fidu.

La pelota vuelve a Nico.

—Cuando el área está llena de gente, lo mejor es hacer pases rasos y potentes —le aconseja Champignon—. A los defensas les cuesta más interceptarlos.

El número 10 vuelve a su sitio, listo para una nueva asistencia.

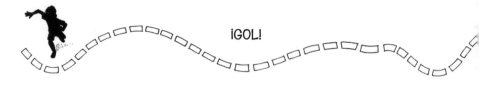
El cocinero-entrenador toca otra vez la bocina. Nico ve que Rafa le pide el balón. Finge disponerse a pasárselo pero, sin mirarlo siquiera, como había hecho Özil en el Bernabéu, lo lanza raso hacia Tomi, que lo golpea de primeras y bate a Fidu.

—*Superbe!* —exclama míster Champignon, atusándose el bigote por el lado derecho.

¡Nicözil está casi preparado para jugar la liga!

Faltan treinta segundos para las nueve de la noche. Tomi abre la ventana de su cuarto y mira el cielo.

Luego observa las manecillas del reloj y las acompaña: diez, nueve, ocho, siete, seis, cinco, cuatro, tres, dos, uno...

Mira de nuevo por la ventana y sonríe: «Justo ahora, en este preciso instante, en China, del otro lado del planeta, Eva está pensando en mí. Nuestros pensamientos han subido al firmamento como cometas y se han fundido, convirtiéndose en una sola cometa».

Tomi vuelve a cerrar la ventana y acaricia con el dedo la jaulita de su grillo Eva.

2
¡EQUIVÓCATE SIEMPRE ASÍ, JOÃO!

Domingo por la mañana.

Va a empezar la segunda parte de la liga. Los Cebolletas viajan a domicilio al campo del Club Huracán, que acabó la primera parte liderando la clasificación.

Tomi va con sus padres hacia la parroquia de San Antonio de la Florida.

—Quién sabe qué sorpresa nos estará preparando Champignon... —se pregunta Armando al pasar por delante del Paraíso de Gaston.

—No entiendo por qué lo habrá cerrado, cuando le iba tan bien —comenta Lucía—. ¡Espera, que hay una nota colgada de la puerta!

El papel dice: «Gran inauguración oficial del nuevo Paraíso...».

—Es decir, dentro de diez días —concluye Armando, quien pregunta a su hijo, guiñándole el ojo—: ¿Tú puedes esperar diez días?

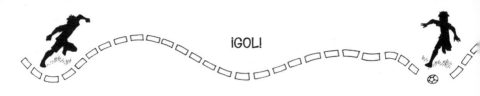

—De ningún modo... —contesta Tomi sonriendo.

—Pues súbete aquí... —propone su padre, cruzando las manos y agachando el tronco. El capitán se apoya encima con un pie y trata de curiosear en el interior.

—¡Baja enseguida, Tomi! —le regaña Lucía—. ¡No se espía en las casas ajenas! ¡Y a ti tendría que darte vergüenza, Armando!

En ese preciso instante sale Gaston Champignon del Pétalos a la Cazuela. Observa la escena sonriendo y comenta:

—Un esfuerzo inútil, queridos amigos. Además del toldo, he bajado las persianas. Sabía que el barrio está lleno de cotillas...

Tomi salta al suelo de un brinco, un poco cohibido.

—Lo siento, míster, solo estaba echando un vistazo...

—Hace meses que intento averiguar qué nueva idea has tenido para tu local, pero todavía no lo he conseguido... —farfulla Armando.

—En unos días lo descubriréis todo, y estoy seguro de que os gustará —zanja el cocinero-entrenador, acariciándose el bigote por la punta derecha, la de la satisfacción.

Jugadores e hinchas suben a bordo del Cebojet, Augusto pone en marcha el autobús y sale dando un bocinazo, mientras los chicos de la parroquia despiden a sus amigos antes de ese partido tan importante.

Como te decía, el Club Huracán encabeza la clasificación con 17 puntos, por delante de los Leones de África (14) y los Cebolletas (13). Si hoy también ganan los Huracanes, el equipo de Tomi se quedará descolgado por 7 puntos. Y esa diferencia, en los seis partidos que queden, será prácticamente imposible de recuperar.

También se puede apreciar que es un partido decisivo por el número de fans que han acudido a apoyar a su equipo y por el silencio de los Cebolletas, concentradísimos.

Los únicos que tienen ganas de hablar son los gemelos, como de costumbre. Pero Sara y Lara no se les quedan atrás... Durante el viaje en el Cebojet, de hecho, han tratado de convencer a Pavel e Ígor de que revelaran su secreto.

—Seguro que se les escapa alguna pista a esos dos charlatanes... —comenta Sara a su hermana antes de subir al ataque.

Pero, aunque los gemelos van hablando sin parar hasta el campo del Huracán, no se les escapa ninguna alusión a la manera en que han empleado los dos mil euros de la lotería.

23

Al bajar del Cebojet, Ígor exclama con satisfacción:

—Queridas gemelitas, es verdad que nos encanta charlar pero, si queremos, ¡sabemos defender un secreto mejor que vosotras la portería de Fidu!

—Qué ocurrente... —comenta Lara, decepcionada.

En el vestuario, Gaston Champignon dibuja sobre la pizarra portátil la formación con la que jugarán los Cebolletas el primer tiempo.

—Empezaremos así: 4-3-1-2. Fidu en la portería y en defensa Sara, Elvira, Dani y Lara. En medio del campo Becan, Aquiles y Bruno. Un poco más adelantado Nico, y Tomi y Rafa en punta. Los otros entrarán en la segunda parte.

—Pero ¿cómo nos alineamos los mediocampistas? —pregunta Aquiles.

—Así —contesta el cocinero-entrenador, que dibuja en su pizarrín una especie de rombo:

Nico

Bruno   Becan

Aquiles

24

—¡La alineación «cometa»! —salta Nico, al recordar el partido que jugaron en Pekín contra el equipo de Halcón, el amigo estadounidense de Eva.

Los Cebolletas que fueron a China sonríen.

—Sí —confirma Champignon—. En el centro del campo usaremos esa formación. Tú, Aquiles, serás el más rezagado, estarás por delante de la defensa y te ocuparás sobre todo de marcar al número 10, su crack. ¿Te acuerdas de él? En la fase de ida nos causó muchos problemas. Becan y Bruno estarán a tu lado y te ayudarán. Nico, en cambio, se quedará a la espalda de los dos puntas y tratará de dar pases de la muerte. Eso es lo único que tiene que hacer, así que no le gritéis que baje a defender. ¿De acuerdo? ¿Alguna pregunta más?

Nadie respira. Todos están metidos en el partido.

—En ese caso, el que tiene un par de preguntas soy yo —prosigue el cocinero-entrenador—. Ha sido un invierno muy largo y no quisiera que alguien se hubiera olvidado... Tomi, ¿qué le pasa a quien se divierte?

—¡Que siempre gana! —salta el capitán.

—Bien —continúa Champignon—. No lo olvidéis, chicos. Estamos aquí para derrotar al Club Huracán y para empezar la gran remontada en la fase de vuelta pero, antes que nada, ¡hemos venido a divertirnos! Se-

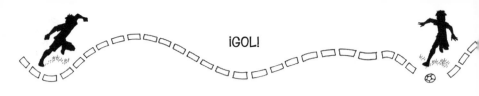

gunda pregunta, y esta vez quiero que respondáis a coro: ¿somos pétalos sueltos o una flor?

—¡Una flor! —aúllan los Cebolletas todos a una.

—Pues claro que somos una flor —conviene el cocinero-entrenador—: ¡la flor que ganará el campeonato!

Los Cebolletas salen del vestuario a la carrera. Todos menos Nico que, colocado en medio de la sala, empieza a mover los brazos y las piernas muy lentamente, dibujando círculos en el aire y concentrándose en su respiración. Son los ejercicios de Tai Chi Chuan que le ha enseñado Ziao, el abuelo de Nubes Armoniosas, para tener un control total sobre sus fuerzas.

Champignon y Augusto lo observan y luego se «chocan la cebolla» y se dirigen hacia el banquillo.

El primer tiempo es muy disputado. El gong chino de Carlos retumba con cada jugada de los Cebolletas.

Los chicos del Club Huracán llevan una camiseta amarilla con una H roja en la barriga y se disponen en una formación 4-4-2, como a la ida. El duelo entre el estupendo número 10 y Aquiles es espectacular desde el inicio. Gracias a la presión del Cebolleta, que se pega como una lapa al mejor jugador de los adversarios, Bruno puede hacerse con el control del medio campo. Tras un pase de Becan, Rafa ya ha rozado el gol, pero la pelota se le salió un poco por encima del larguero. Y Tomi ha forzado dos intervenciones del guardameta.

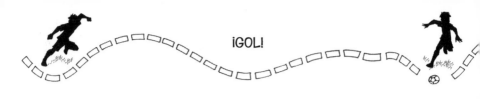
Al regresar a su campo, Tomi imita el lanzamiento de una flecha en dirección a la tribuna, para dedicar el gol a su amiga Adriana. El gong de Carlos retumba con alegría.

Los Cebolletas retroceden para defender su preciosa ventaja. Pero hay un problema.

En el centro del campo hay cuatro Huracanes, de modo que pueden desplegarse y ocupar los espacios mejor que sus rivales, que solo tienen a tres mediocampistas. El número 10 de los Cebolletas se da cuenta y retrocede para ayudar a sus compañeros, pero Champignon se lo impide.

—¡Quédate delante, Nico! ¡En esa posición nos eres más útil!

El cocinero-entrenador no quiere que Nico se canse demasiado. Todavía quedan muchos minutos por jugar.

Sacando partido de los espacios que quedan libres en el centro del campo, los Huracanes empiezan a presionar peligrosamente por las bandas.

El extremo derecho se encuentra con una autopista por delante, antes de driblar a Lara y pasar hacia el centro. Dani ha tratado de anticiparse a destiempo: la pelota lo supera y acaba en la frente del número 9, que cabecea a gol. Fidu alcanza el balón al vuelo y trata de blocarlo, pero la pelota se le escapa y el número 8 se tira en plancha y logra deslizarla al fondo de la red: ¡1-1!

—¿Por qué no la has rechazado con el puño? —le grita Aquiles, hecho una furia.

—Porque estaba seguro de que la podía blocar —se justifica el portero.

—Me parece que hoy también Aquiles está muy nervioso —comenta Augusto en el banquillo.

—En efecto —coincide Champignon, atusándose el bigote por el extremo izquierdo.

A lo mejor porque está hecho un manojo de nervios, el antiguo matón comete un grave error: en lugar de esperar al número 10 y empujarlo hacia la banda, se le enfrenta directamente y es regateado a la primera. El chico de la H sobre la tripa tiene así el camino despejado hasta la portería de Fidu, que sale de la línea de meta para cerrarle espacios. Pero el número 10 lo dribla con un elegante golpe de cintura y lanza la bola al fondo de la red: ¡2-1!

En cuatro minutos los primeros de la clasificación han dado la vuelta al marcador, para mayor alegría de los hinchas de casa. Y no tienen intención de conformarse con eso...

Aquiles se desgañita.

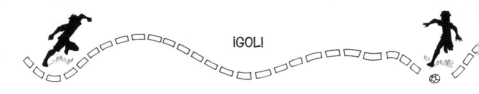

—¡Vuelve, Nico! ¡No te puedes quedar delante!

Hasta que tiene que intervenir Champignon.

—¡Está bien así, Aquiles! ¡Nos va bien que Nico esté en esa posición!

Durante el descanso estalla una discusión.

—Nico ha jugado muy bien —reconoce Aquiles—, ¡pero así, en el centro somos tres contra cuatro!

—Ahora cambiaremos de alineación —aclara Champignon—, aunque Nico se queda en su posición. Sale Lara y entra João, que jugará en el centro por la izquierda. Pavel sustituye a Becan. Pasaremos a un 3-4-1-2, y tendremos cuatro en el centro.

Dani estudia la nueva formación y observa:

—Pero tendremos un defensa menos...

—Ya lo sé —confirma Champignon—. Correremos más riesgos, pero el empate no nos vale. Si queremos alcanzar al Club Huracán tenemos que intentar ganar.

—¡Exacto! —aprueba Fidu.

El cambio efectuado por Champignon hace que la segunda parte sea todavía más equilibrada. El balón se queda ahora mucho tiempo en el centro del campo, como un coche atascado por el tráfico del centro de una ciudad. Nadie logra imponerse a su rival.

Pero mediado el segundo tiempo los Huracanes empiezan a ganar terreno. Aquiles parece cansado y el número 10 recupera el balón cada vez más a menudo.

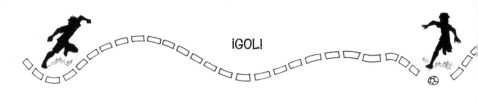

Ahora avanza peligrosamente por la banda izquierda, después de hacer una pared con el número 8. Aquiles aprieta los dientes, lo persigue y lo tumba antes de que pueda penetrar en el área.

En la tribuna, el público protesta por la entrada del centrocampista, que ha sido muy dura.

El árbitro saca una tarjeta amarilla y amonesta con toda justicia al Cebolleta.

Tomi corre y ayuda al número 10 a levantarse.

En vez de disculparse, Aquiles dice al adversario, que se está quejando al árbitro:

—El fútbol no es un deporte para niñitas. A lo mejor deberías dedicarte a la natación sincronizada...

El árbitro lo escucha y previene a Tomi.

—¡Capitán, si tu amigo no se calma le enviaré a las duchas mucho antes de tiempo!

En el banquillo, Champignon se atusa el bigote por el lado izquierdo.

El partido se reanuda con un saque de falta, que el propio número 10 dispara hacia la escuadra. El vuelo de Fidu, que desvía la pelota a córner, es magnífico y hace resonar el gong de Carlos.

—¡Bravo, Fidu! —aplaude el padre de Nico, mientras la señora Sofía agita el esqueleto Socorro.

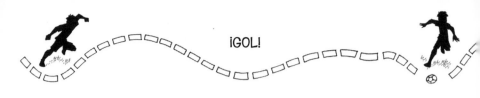

El número 10 se dispone a recoger el balón del fondo de la red para llevarlo a toda prisa al centro del campo, pero Aquiles le cierra el paso y lanza el balón a lo lejos.

Si el árbitro lo hubiera visto, habría amonestado una vez más al ex matón y lo habría expulsado. El que sí se ha dado cuenta ha sido Champignon, que hace salir inmediatamente a Ígor en sustitución de Aquiles.

Los Cebolletas defienden su ventaja luchando como titanes.

Hasta que el árbitro pita tres veces: Club Huracán 2– Cebolletas 3.

¡Los chicos de Champignon están ahora a un solo punto del equipo que ganó la fase de ida!

Los Cebolletas regresan al vestuario entonando su cántico de la victoria: «¡Cebo-oé, oé, oé!», pero no encuentran a Aquiles, que se ha duchado, se ha vestido y se ha marchado solo.

—Tengo que hablar con ese chico —decide Gaston Champignon, acariciándose el bigote por el extremo izquierdo.

En el camino de regreso, João trata de convencer a sus compañeros de que su gol no ha sido fruto de un pase mal dado, sino de una parábola estudiada a conciencia para engañar al portero.

34

Fidu baja la ventanilla y explica:

—La nariz de João se está alargando como la de Pinocho. Le hace falta espacio...

Reina una gran alegría en el Cebojet.

Adriana se ha sentado al lado de Tomi. Tiene un pareado para él: «¡Contra el Huracán he visto a un gran capitán!».

3
Y QUERÍAN CONVERTIRLO EN FILETES

La belleza de las trenzas rubias sube otra vez al autobús número 54 conducido por el padre de Tomi.

—¿Encontró lo que buscaba el otro día en el paseo de la Florida? —le pregunta Armando.

—Sí, gracias. Ahora voy otra vez —responde la chica, que lleva su iPod en la mano.

—¿Qué música escucha? —pregunta el padre del capitán.

—Música disco, ¿le gusta?

—Yo escucho un poco de todo. Es que soy músico...

—¿En serio? —exclama la chica, admirada—. ¿Y qué instrumento toca?

Armando está a punto de responder «Los platillos en la banda de los tranviarios», pero le parece poco ante el entusiasmo que ha demostrado la chica. Entonces piensa en el Gato y en los instrumentos que tocan los Esqueléticos y responde:

—El violín, los teclados, la guitarra y un poco la batería.

—¡Es magnífico, felicidades! —dice la chica de las trenzas rubias, sonriendo—. ¿Y por qué no ha escogido un trabajo que tuviera relación con la música?

—Mi trabajo tiene que ver con la música —rebate Armando—. Cuando tengo ganas de tocar un poco, aprieto el claxon o la campanilla de las puertas.

La chica echa a reír y aprieta el pulsador para pedir la parada.

—Es usted muy simpático...

—Y a usted se le da muy bien apretar el pulsador de las puertas —contesta el padre de Tomi.

La chica sonríe de nuevo antes de bajar en la parada del paseo de la Florida.

Tomi y Nico están echando una partida de Ziao en los bancos de la parroquia de San Antonio de la Florida. Es el juego de cartas que el abuelo de Chen enseñó y regaló al número 10 durante sus vacaciones en Pekín. La apasionante simulación de un encuentro de fútbol se está convirtiendo en uno de los pasatiempos favoritos de los Cebolletas.

37

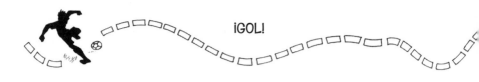

Nico lleva siempre encima el mazo de cuarenta y cinco cartas dibujadas por el abuelo de Nubes Armoniosas y no pierde ocasión para retar a sus amigos: «¿Echamos una partida de Ziao?».

Les gusta tanto que en la jerga de los Cebolletas el abuelo de Chen ha dado su nombre al juego.

Fidu, Becan, João, Dani y las gemelas hacen de espectadores de la partida entre el capitán y el número 10. Los Cebolletas históricos se han dado cita en la parroquia, donde esperan a Pavel e Ígor. Hoy por la tarde los gemelos les revelarán su gran secreto: han pedido a sus amigos que estén listos para salir en bici, pero sin decirles hacia dónde.

—¡Ahí están! —dice Sara, señalando hacia la verja.

Nico recoge las cartas y cada uno se sube a su bici. Los gemelos se ponen en marcha de inmediato.

—¡Seguidnos!

Tomi, sobre su inconfundible Merengue, y los demás Cebolletas empiezan a pedalear.

¿Te acuerdas de la bicicleta del capitán? La banda de Pedro se la había pintado de rosa para burlarse, pero a Eva le gustó y Tomi decidió dejarla así. La llamó Merengue porque tiene el mismo color que un merengue a la rosa, el afamado postre de Champignon.

38

—Este camino lleva al parque del Retiro —observa Nico.

—A lo mejor se han comprado el estanque con sus dos mil euros —aventura Dani.

—No creo que sea tan barato —contesta Lara.

Los gemelos escuchan la discusión de sus amigos y sonríen, mudos como los peces de colores. Conducen a sus compañeros a través del parque, se adentran por una estrecha callejuela, entran en una fábrica de ladrillos rojos y dejan las bicis en un gran patio cubierto de grava, donde está aparcado un tractor y pasean unas gallinas.

—¡Por aquí! —indica Ígor.

Los Cebolletas intercambian miradas dubitativas. De una cuadra sale un hombre bastante mayor, con el rostro moreno, unas botas de caucho, un mono de trabajo azul y un sombrero de paja. Lleva en la mano una cesta llena de huevos frescos.

Cuando reconoce a los gemelos, los saluda de lejos.

—¡Hola, Camilo! —contesta Pavel, corriendo a su encuentro.

—¿Habéis venido a ver a Mechones? —pregunta el campesino.

Los Cebolletas se miran, todavía más sorprendidos.

39

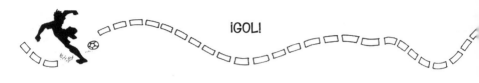
—Sí —confirma Ígor—. Era una sorpresa para nuestros amigos.

—Lo encontraréis en su sitio. —Camilo sonríe—. Acaba de darse un buen almuerzo... Os acompaño.

Llegan a un pequeño recinto cuadrado, delimitado por una valla de madera. En el centro hay un caballito de pelo marrón y crin rubia, con un gran mechón que le cae sobre el hocico. También tiene la cola clara como la crin.

MECHONES Y CAMILO

—¡Mechones! —exclaman a coro los gemelos. El poni se acerca lentamente a la valla, donde se han agrupado los chicos, y se deja acariciar.

—Pero ¿no lo habían llevado al matadero? —pregunta Lara, con los ojos como platos por la sorpresa.

—Lo conseguimos evitar —responde Pavel.

—¡Es una preciosidad! —dice João, acariciándolo.

—Pero ¿no lo habíais comprado? —pregunta Becan.

—Como sabes, fue una idea de nuestro padre —contesta Ígor—. Un colega periodista que se ocupa de hípica se había enterado de que querían sacrificar a un caballo. Mechones hacía concursos de salto y era bueno, pero un día se rompió una pata.

—¿Y no podían curarlo? —se interesa Tomi.

—Para un caballo es difícil recuperarse de una fractura —explica Camilo—. Es casi imposible que vuelva a competir y por eso se convierte en una carga para un centro hípico. Tienen que gastar dinero para mantenerlo, aunque él ya no podrá ganar ningún premio.

—No me parece una razón suficiente para deshacerse de él —comenta Dani.

—No —prosigue Pavel—. Pero la hípica quería recuperar un poco de dinero y se lo compramos, como ya sabéis. Pero unos ladrones se lo robaron a Camilo y,

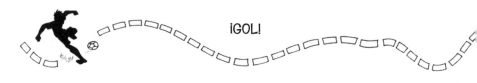

cuando se cansaron de él, decidieron enviarlo al matadero, para ganar algo de dinero. Menos mal que el amigo de mi padre lo vio cuando estaba a punto de entrar en la sala de los sacrificios y lo salvó.

—Pues yo he comido filetes de caballo —tercia Fidu—. Y están buenísimos.

Se vuelven todos indignados a mirar al portero.

—¿Serías capaz de comerte a Mechones? —pregunta Sara, espantada.

—¡No, qué va! —se corrige enseguida Fidu, levantando los hombros en señal de rendición—. ¡No he dicho que quisiera comerme a Mechones! Lo único que he dicho es que una vez probé un filete de caballo...

Mechones relincha como si hubiera comprendido las palabras del guardameta y estuviera preocupado.

—Si hemos hecho todo lo que hemos hecho —insiste Ígor— es precisamente para que no acabara convertido en filetes. Aquí está estupendamente: Camilo lo cuida y no le falta de nada.

—¡Fantástico! —exclama Lara—. Sara y yo hemos dado algunas clases de equitación. ¿Nos dejaréis un día dar un paseo a lomos de Mechones?

—Todavía es pronto —replica el campesino—. Tiene que curarse del todo la pata. Hace poco que dejó de cojear. Y en un mes estará encantado de llevar de paseo a dos señoritas tan guapas...

Hoy es tarde de entrenamiento.

Tomi y Nico, que han llegado antes de tiempo a la parroquia, estudian los resultados de la primera jornada, colgados en el tablón de anuncios junto a la crónica del partido contra el Club Huracán y los comentarios.

1.ª JORNADA DE LA FASE DE VUELTA	
CAPITOSTES - BALONES DE ORO	1 - 1
SÚPER VIOLA - LEONES DE ÁFRICA	0 - 2
ESTRELLAS - VELOCIRRÁPTORES	2 - 4
CLUB HURACÁN - **CEBOLLETAS**	2 - 3

CLASIFICACIÓN	
CLUB HURACÁN	17
LEONES DE ÁFRICA	17
CEBOLLETAS	**16**
VELOCIRRÁPTORES	13
CAPITOSTES	9
SÚPER VIOLA	7
BALONES DE ORO	7
ESTRELLAS	3

—Los Leones de África han ganado y comparten el primer puesto con los Huracanes —observa Nico.

—Pero estamos a un solo punto —comenta Tomi—. Y dentro de dos semanas nos enfrentaremos con los Leones. ¡Si les ganamos nos pondremos por delante!

43

—Para eso primero tendremos que derrotar el próximo domingo a los Capitostes, que van por detrás de nosotros pero que en la ida nos ganaron —advierte el número 10—. No lo olvidemos.

—¡Sí, pero ahora somos un equipo distinto! —rebate el capitán—. Entonces era el segundo partido que disputábamos entre equipos de once jugadores, pero ya nos hemos acostumbrado. Mira lo que ha escrito Tino: «De China ha regresado un número 10 totalmente cambiado. En lugar del pececito que boqueaba en medio del campo ahora es un faro que ilumina a su equipo. El ajedrez ha perdido a un gran jugador, pero los Cebolletas se han encontrado con todo un Özil. Nota: 8.».

Nico sonríe incómodo y se vuelve hacia el capitán.

—Y mira lo que ha escrito Tino sobre ti: «Con el doblete contra los Huracanes, Tomi ha superado a Rafa: ya lleva siete goles en el campeonato contra cinco del italiano. En la ida, la estrella de los Cebolletas fue el Niño. ¡El capitán se ha vuelto a hacer con el control del equipo! Nota: 9.». No está mal, ¿verdad?

Ahora el que está ruborizado es Tomi:

—Bueno... —murmura—. Procuremos entrenarnos con empeño si queremos más elogios de Tino.

Recogen sus bolsas y se dirigen hacia el vestuario.

Gaston Champignon organiza una divertida fiesta «de carretillas».

Divide a los Cebolletas por parejas. Uno agarra de los tobillos a su compañero, que avanza con las manos sobre el suelo. Al llegar al centro del campo se cambia: el que estaba de pie hace de carretilla durante el recorrido de vuelta hasta la línea de meta.

La carrera termina con un *sprint* entre el Niño, que lleva a Fidu por los pies, y Julio, emparejado con Sara. El italiano y el portero parecen ganar terreno.

—¡Vamos, más rápido! —le azuza Rafa.

Fidu, resoplando, intenta acelerar, pero se excede, pierde el equilibrio hacia delante y cae despatarrado, con la barriga por tierra, como la piel de un oso delante de una chimenea... El Niño se tropieza y le cae rodando encima.

Los Cebolletas echan a reír, mientras Sara, que avanza con gran agilidad, como un saltamontes en un prado, supera la línea de meta y lo celebra con Julio.

También es divertido el ejercicio técnico que el cocinero-entrenador organiza en la segunda parte del entrenamiento...

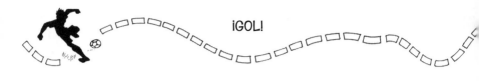

Monsieur Champignon dibuja en el suelo un campito de cinco metros por tres y coloca dos pequeñas porterías en el centro de cada lado corto del rectángulo. Luego explica en qué consiste el juego.

—Será un dos contra dos. Cada jugador saldrá de una esquina del campo con dos balones al pie, así que cada equipo dispondrá de cuatro balones y se podrá marcar un máximo de ocho goles. Ganará el equipo que meta más pelotas en la portería del rival. Si la pelota sale del rectángulo no se puede seguir jugando con ella. ¿Alguna pregunta?

Gaston distribuye los chalecos de colores para formar los equipos y pita el comienzo del curioso torneo.

Cada pareja estudia una estrategia. La que idean Nico y Pavel es muy especial: en cuanto pita Champignon, el número 10, muy preciso en sus disparos, lanza sus dos balones directamente desde la esquina. Uno acaba en la portería de Bruno y Elvira, pero el otro sale por muy poco. Nico va luego corriendo a defender su puerta, con los dos balones que le ha dejado Pavel al lado, antes de subir al ataque.

Bruno y Elvira avanzan empujando cada uno sus dos pelotas y disparan a meta. Nico rechaza tres chutes y encaja un gol, así que de momento el resultado es de 1-1.

Pero en ese momento, el número 10 pasa a toda velocidad a Pavel los dos balones que le había dejado, y su compañero, libre de marcaje, los empuja al fondo de la red: ¡3-1!

—*Superbe!* —aplaude el cocinero-entrenador—. ¡Una táctica fantástica!

Este ejercicio festivo es sumamente útil porque, además de la táctica, entrena el control del balón y los reflejos. En efecto, cada Cebolleta debe tener bajo control al mismo tiempo sus dos balones y los otros seis que están en juego.

La estrategia escogida por Dani y Fidu es un fracaso estrepitoso.

El portero propone:

—Dejemos tres pelotas delante de nuestra portería y vayamos a meter gol con la cuarta. Luego volveremos a por las demás.

En cuanto ven avanzar a sus adversarios, Julio y Becan lanzan fuera del campo sus balones y, en lugar de defender su puerta, echan a correr como alma que lleva el diablo a la espalda de Dani y Fidu y meten en la red los tres balones que se habían quedado ahí: ¡3-1 para ellos!

Fidu se rasca la cabezota, comentando:

47

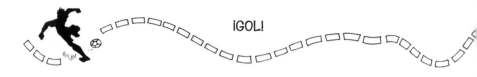
—Tengo la impresión de que hemos fallado en los cálculos, Dani...

Los Cebolletas se mueren de la risa.

Nico y Pavel juegan en la final contra Lara y João. Parecen los favoritos, pero la gemela tiene una idea genial...

Nico lanza al ataque a Pavel para intentar remontar los dos goles, pero mientras el número 10 dispara, João saca del campo el balón del gemelo. Nico y Pavel ya no pueden empatar.

Los Cebolletas aplauden y «chocan la cebolla» a la pareja que ha ganado el torneo de las ocho pelotas.

Gaston Champignon siempre está contento cuando ve que sus chicos se divierten, pero una idea le fuerza a atusarse el bigote por el lado izquierdo.

—Tengo que hablar con Aquiles —dice.

—Ya es el segundo entrenamiento que se salta esta semana —comenta Augusto.

—Y durante los partidos está muy nervioso.

—Pero si hasta hace unos días estaba muy contento... —cuenta el chófer del Cebojet—. Me dijo que su hermano tenía un permiso especial y que saldría de la cárcel para pasar en casa unos días.

—Sí, tengo que hablar con él lo antes posible —concluye el cocinero-entrenador.

4
EL GOL
DE LA
CORTINA

La Cafetera, es decir, el pequeño 600 rojo de Clementina, se detiene delante de la parroquia de San Antonio de la Florida. La prima de Tomi baja con Fernando, el hermano mayor de Pedro.

Fidu los observa y comenta:

—Esos dos siempre están juntos, como el aceite y la sal sobre las mesas de los restaurantes...

—Es verdad —farfulla el capitán de los Cebolletas—. No sé qué tiene de interesante ese fanfarrón para mi prima, que es tan inteligente...

—¿Y a vosotros qué más os da? —tercia Sara—. Luego dicen que las cotillas somos las mujeres... No me parece que haya nada malo en que estén a gusto juntos.

—Pues a mí sí que me parece mal —rebate Pedro, que ha aparecido por sorpresa detrás de la gemela—. Normalmente mi hermano solo lee revistas de motocross. O, más bien, no las lee, se limita a mirar las foto-

grafías. ¡Y ayer lo vi tumbado en el sofá con un libro de trescientas páginas sin una sola ilustración! Está desconocido...

—Apostaría algo a que se lo ha regalado mi prima —comenta Tomi, preocupado.

—Sí —comenta el capitán de los Tiburones Azules—. Lo sé porque he leído la dedicatoria: «Al príncipe azul de los motores»...

—¿El príncipe azul de los motores? —repite Tomi haciendo una mueca, como si acabara de masticar un caramelo de pimienta—. La situación es cada vez más grave.

—De aquí a unos días ya veo a Clementina con el pelo largo y recogido en una coleta —salta Fidu, riendo con ironía.

—¿Qué pasa, tienes algo contra los que llevan coleta? —pregunta Pedro.

—Sobre los que son como tú tengo mucho en contra —responde Fidu—, pero ahora tengo que ir a cambiarme. No sé si sabrás que estamos luchando por la liga. Siéntate en la tribuna y toma apuntes: siempre podrás aprender algo de los Cebolletas.

—Pues vais los segundos, y los Tiburones vamos los primeros, como de costumbre —puntualiza Pedro.

—Sí, pero en la liga de los peques —rebate el portero—. El fútbol de los grandes es el que se juega entre
equipos de once jugadores, es decir, nuestra liga.

Los Cebolletas sueltan una risa burlona y siguen a
Fidu en dirección al vestuario.

Gaston Champignon desvela la formación que se en-
frentará a los Capitostes.

—Repetiremos la alineación del segundo tiempo contra los Huracanes: 3-4-1-2, es decir, Fidu en la portería;
Pavel, Dani y Lara en la defensa; Julio, Becan, Bruno y
João en el centro del campo, y Nico por detrás de Tomi
e Ígor. Aquiles y Rafa, que jugaron mucho tiempo en
la fase de ida, se quedarán en el banquillo, pero listos
para entrar en cualquier momento, junto a Elvira y Sara.
¿Alguna duda?

El Niño se queda sorprendido por su exclusión, pero
no dice nada. En cambio, Aquiles parece preocupado.

Nico levanta la mano, como en el colegio.

—Acordémonos del partido de ida. Como dice Sun
Tzu, «Conoce al enemigo como a ti mismo. Si lo haces
nunca estarás en peligro, ni siquiera en medio de cien
batallas».

—¿Y quién es ese tal Sun Tzu? —pregunta Elvira.

—Es un entrenador chino amigo de Nico... —responde Sara con una risita.

—En el partido de ida los Capitostes jugaron con un esquema 4-5-1 —prosigue el número 10—. Tantos centrocampistas nos crearon muchos problemas: parecían la muralla china... Tendremos que tener mucha paciencia para encontrar huecos.

Mientras se dirige al banquillo, Augusto pregunta a Champignon:

—¿Has podido hablar con Aquiles?

—Sí, pero me ha dicho que no tenía ningún problema —contesta Gaston—. De todas formas, lo he dejado en el banquillo por respeto a los compañeros que se han entrenado con ahínco durante toda la semana.

—Bien hecho —aprueba Augusto—. De todas formas, tendremos que estar pendientes de Aquiles y averiguar qué le pasa.

Nico, un ajedrecista experto en estrategia, había acertado de lleno con su pronóstico.

La muralla de los cinco mediocampistas de los Capitostes, que llevan su típica camiseta blanca a cuadros

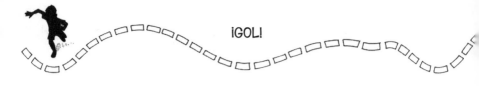

rojos, crea muchos problemas al equipo de Gaston Champignon, aunque Tomi está enseguida a punto de adelantar a los Cebolletas.

Bruno da un pase largo a Julio, que echa a correr por la banda derecha hasta el banderín. Hace un pase hacia el centro, pero el altísimo número 5 de los Capitostes despeja de cabeza. Nico recoge el balón fuera del área y finge ir a disparar al vuelo, pero manda el balón con suavidad por encima de la defensa. Tomi se lanza derrapando y remata a puerta. La pelota golpea la parte interna del travesaño, rebota sobre la línea de gol y el portero la bloca dando un salto hacia atrás.

El público aplaude en el graderío.

César, el gordo defensa de los Tiburones, ríe satisfecho.

—El larguero está de nuestra parte...

—Sí —aprueba Pedro—, no me molestaría ver perder a los Cebolluchos.

Un par de filas más arriba, Tino, el pequeño periodista, está anotando: «En la fase de idea, Nico estaba en la tribuna y Tomi, João y Becan en el banquillo. Ahora los Cebolletas históricos son todos titulares y espolean a sus compañeros. El rodaje ha acabado. Nuestros héroes cada vez caminan con un paso más firme sobre el nuevo planeta del fútbol entre equipos de once jugadores».

El peligro obliga al entrenador de los Capitostes a tomar medidas. Llama al número 4 y le ordena que se pegue al número 10 de los rivales como su sombra. Al lumbrera le resulta ahora mucho más difícil desmarcarse, y los Cebolletas han perdido el eslabón que unía el centro del campo con la delantera. Sin las asistencias de Nicözil, Tomi e Ígor se quedan aislados en ataque.

Pero hay otro problema, y esta vez la que se da cuenta es Lara.

—Fidu, se te ha soltado un cordón de la bota.

—En cuanto se aleje la pelota de nuestra portería me lo ataré —contesta el guardameta mientras se prepara para el saque de esquina que van a lanzar los Capitostes.

El portero se levanta y muestra su bota al colegiado.

—¡No lo he hecho aposta, señor árbitro! ¡Mire, tenía el cordón suelto!

—Lo siento, la culpa es tuya por no atártelo bien —responde el árbitro, inflexible.

Fidu insiste y persigue al árbitro, pero pisa otra vez el cordón y vuelve a caer al suelo, arrastrando consigo al colegiado...

En la tribuna estallan nuevas risas.

Al final Lara se arrodilla y ata fijamente la bota del portero, que se resigna a colocarse en la línea de meta, listo para el penalti.

El disparo duro y colocado del número 11 no le deja ninguna opción: 0-1 para los Capitostes.

—¡Ánimo, chicos, no pasa nada! —exclama Tomi, llevando el balón al centro del campo.

Los Cebolletas vuelven a atacar, aunque ahora es todavía más difícil, porque los centrocampistas de los Capitostes han retrocedido para defender su ventaja y delante de su portería han colocado una muralla de diez jugadores.

Nico observa la camiseta de los rivales y de repente le viene a la mente un tablero de ajedrez. «He ganado muchas partidas moviendo la torre...», piensa.

Se da la vuelta y grita:

—¡Ven, Dani, ponte en medio de su área!

Efectivamente, es inútil tener a cuatro defensas para marcar al único atacante de los Capitostes, mientras la habilidad de Dani con la cabeza puede reforzar el asedio contra la portería adversaria.

Julio y João empiezan a bombardear de pases el área contraria, desde la derecha y la izquierda. En uno de ellos, Dani logra imponerse al número 5. Su cabezazo rebota contra el travesaño. Ígor es el más rápido en abalanzarse sobre el balón y empujarlo al fondo de la red: ¡1-1!

El gemelo echa a correr por el campo, perseguido por sus compañeros, que lo quieren abrazar. Se acaricia constantemente la cabeza, pasándose la mano por el pelo, desde la nuca hacia la nariz.

—Pero ¿qué haces? —le pregunta Becan, divertido.

—¡Es la celebración de Mechones! —aclara Ígor—. ¡Estoy dedicándole el gol a mi caballito!

El primer tiempo termina en empate a uno.

Pedro se cruza con Fidu, cuando este vuelve al vestuario.

—He seguido tu consejo y he tomado notas durante la primera parte: la lección de hoy ha sido ver cómo se cae un saco de patatas...

César suelta una carcajada. El portero no contesta.

En el vestuario, Gaston Champignon lleva a sus pupilos ante las duchas.

—Todavía tenemos que jugar el segundo tiempo —le recuerda Sara.

—Ya lo sé —responde el cocinero-entrenador—, pero quería enseñaros algo. ¿Veis cómo la cortina cubre toda la puerta de la ducha? Pero si la aparto a un lado, se abre un espacio por donde se puede pasar, ¿a que sí?

Los Cebolletas se miran entre ellos, sin comprender.

—Los cinco centrocampistas de los Capitostes cubren bien el campo a lo ancho —aclara Champignon—. Lo que tenemos que intentar es arrinconarlos a todos en una banda, como esta cortina, y luego atacar de repente por el lado descubierto.

Dicho lo cual, el cocinero-entrenador explica su plan.

En la reanudación, Rafa tomará el puesto de Ígor, mientras Sara, Elvira y Aquiles sustituirán a Lara, Dani y Bruno.

El partido recomienza de manera muy equilibrada. Los Cebolletas no logran poner en práctica el plan ideado por Champignon, porque los Capitostes se desplazan muy rápidamente de una banda a la contraria.

El Niño corre como loco hacia la tribuna, haciendo la pipa, antes de que sus compañeros se le echen encima para abrazarlo.

—*Superbe!* —exclama el cocinero-entrenador, levantando su cucharón de madera y batiendo con él la olla, que ha colocado en el banquillo. En su interior, el gato Cazo sigue durmiendo y soñando con peces.

Después de haber encajado el gol, los Capitostes se ven obligados a lanzarse al ataque y todo se vuelve más sencillo para los Cebolletas. Se crean espacios y los rapidísimos delanteros de Champignon pueden lanzarse al contraataque.

Rafa vuelve a marcar de penalti, y luego mete gol Tomi, tras un pase perfecto de Nicözil. El quinto gol es el más espectacular: a veinte metros como mínimo de la meta, Aquiles echa a correr hacia el balón y lo golpea apretando los dientes y soltando un grito, como si quisiera partirlo en dos.

Sus compañeros y los rivales se quedan observando la pelota, que llega hasta la portería a una velocidad impresionante y alcanza la red.

Aquiles no lo celebra, sino que se da la vuelta cabizbajo y vuelve a su campo, con una cara tan seria que nadie se atreve a acercársele y «chocarle la cebolla».

61

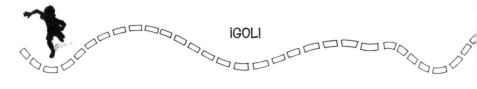

El árbitro silba el final del encuentro. Los Cebolletas han derrotado por 5-1 a los Capitostes, pero en el banquillo Gaston Champignon se atusa el bigote por la punta izquierda.

Un pétalo que no sonríe entristece a toda la flor de la que forma parte. El cocinero-entrenador recoge la olla pensando en Aquiles y en la manera de echarle una mano.

Y al fin el gato Cazo se despierta.

5
EL PARAÍSO
DE GASTON

La acera del Paseo de la Florida, delante del restaurante Pétalos a la Cazuela, está llena a rebosar de gente. Han acudido todos los amigos y conocidos de Gaston Champignon, que se dispone a inaugurar la remodelada tetería. Finalmente descubriremos qué se esconde detrás del toldo verde.

Para la inauguración ha llegado de París la hermana del cocinero-entrenador, la simpatiquísima Violette, famosa artista de la «pintura a la verdura», que asiste a la ceremonia charlando de pintura con las gemelas y llevando de la mano a su flamante marido Augusto.

También ha acudido la banda de tranviarios de Madrid, invitada por Armando en honor de su amigo Gaston. El padre de Tomi, de uniforme, está listo con sus platillos en la mano y, a una señal de Champignon, los estrella uno contra otro. La banda empieza a tocar mientras se dirige hacia el toldo verde.

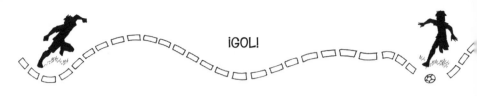

La ceremonia de inauguración acaba de comenzar.
Los invitados aplauden calurosamente la exhibición
de los músicos, después de lo cual Gaston Champignon llama la atención levantando su famoso cucharón
de madera y toma la palabra.

—Queridísimos amigos: antes de nada, os agradez-
co que hayáis venido tantos a mi fiesta. Para mí es un
día muy importante, no solo porque amplío el Pétalos
a la Cazuela, sino también porque la nueva orienta-
ción de mi local me permite saldar mis deudas con este
barrio, que con tanto cariño nos ha acogido a mi señora, mis gatos y a mí mismo...

La gente sonríe divertida.

—Pero ¿por qué se habrá metido en tanto lío con lo
bien que ya funcionaba su Paraíso? —pregunta con im-
paciencia Fidu.

—A lo mejor es un salón dedicado en exclusiva a los
merengues... —bromea Nico.

Ante esa idea los ojos del porterazo se iluminan como
dos faros.

El cocinero-entrenador prosigue.

—No quiero robaros más tiempo. Entremos, y luego
os explicaré por qué he cambiado un local que ya funcionaba bien. Pido a la bailarina más hermosa del mun-

do que me conceda la gracia de cortar la cinta de inauguración oficial...

Sofía Champignon avanza sonriente entre los aplausos con unas tijeras en la mano. Un segundo después corta la cinta tendida delante del toldo verde, que se levanta de improviso. El cocinero guía al grupo al interior y los invitados se desperdigan por la sala, mirando a su alrededor admirados.

Adosada a una pared hay una barra de bar, delante de elegantes estanterías de madera de una antigua farmacia. Los estantes están atestados de tarros de cristal llenos de hojas y de jarrones de cerámica.

En la pared opuesta hay un maravilloso fresco de un prado de amapolas surcado por mariposas. Lo ha pintado en secreto Violette con la técnica de la «pintura a la verdura».

Todas las paredes, menos la de la barra, están cubiertas de rejas de hierro forjado que sostienen jarrones de flores de todas formas y colores. La sala está ocupada por mesitas redondas, también de hierro forjado, con jarrones llenos de primaveras violetas y blancas en el centro y sillas dispuestas alrededor.

Tiene uno la impresión de encontrarse en un jardín a cielo abierto, porque en el techo de color azul, deco-

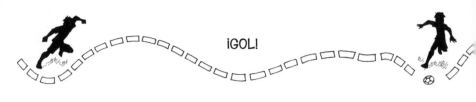

rado con nubes blancas, se refleja la luz de numerosos apliques.

Una puerta en una de las paredes más pequeñas conduce a un pequeño patio, en cuyo centro hay una fuente. A su alrededor están colocadas otras mesitas bajo una pérgola a la que se encarama una glicinia perfumadísima.

Champignon disfruta con las miradas de sorpresa y los comentarios entusiastas de los invitados, hasta que convoca a todos delante de la barra y les da las siguientes explicaciones:

—Queridos amigos, ¡bienvenidos al nuevo Paraíso de Gaston! He creado este rincón verde para cuidar directamente en mi casa las flores que acabarán en mis platos, pero sobre todo para dar al barrio un lugar tranquilo, donde encontrarse y charlar. ¡Nadie os echará, aunque no consumáis nada!

Los asistentes sonríen.

—Pero si queréis degustar un buen té, una infusión o una tisana relajante —continúa el cocinero—, ¡vuestro único problema será escoger entre las mejores hojas del mundo!

—¿Tés tan buenos como los de Pekín? —pregunta Lara.

—¡Por supuesto! —exclama Champignon, atusándose el bigote por el lado derecho—. En China recogí mucha información y probé todo tipo de brebajes. Me haré traer de todo el mundo hojas de la mejor calidad. Todos podrán escoger su bebida preferida estudiando las propiedades de las hierbas en el librito que dejaré en las mesitas.

—¿Y las preparará de acuerdo con las reglas chinas? —pregunta Becan.

—Todos los tés y tisanas se elaborarán siguiendo las reglas del arte —responde el cocinero—. En mi Paraíso los clientes solo tendrán que respetar una norma: ¡no se puede tener prisa! Hace algún tiempo, un señor estaba obsesionado con transformar mi restaurante en un local de comida rápida, con bocadillos para comer de prisa y corriendo... ¡Algo terrible! Aquí quiero que venga la gente a pasar un rato en paz, a charlar con los amigos y sorber con calma un buen té o una buena tisana, preparados con primor. Quien tenga prisa no merecerá mi Paraíso... Me gustaría que este lugar se convirtiera en la nueva ágora del barrio, donde la gente se busca y encuentra, y se mira a los ojos. ¡No podemos hablarnos solamente mediante los mensajitos de los móviles!

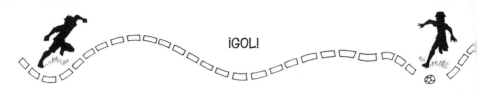

—¡Bravo, señor Gaston! —le felicita Daniela, la madre de las gemelas—. ¡Ha tenido una idea magnífica!

Todos los presentes aplauden con admiración, mientras Monsieur Champignon se quita su sombrero en forma de hongo, hace una reverencia y besa a Sofía, su mujer, henchida de orgullo a su lado.

—¿Será ella la que prepare los tés y las tisanas? —inquiere João.

—A veces —contesta el cocinero—. Pero todo el día veréis en la barra a una joven que ha estudiado apasionadamente las propiedades de las flores y las plantas y es mucho más experta que yo. Todo paraíso digno de ese nombre tiene que tener a su bella Elena... así que ha llegado el momento de presentaros a mi nueva ayudanta.

Por la puerta que conecta el Paraíso de Gaston con el Pétalos a la Cazuela entra una muchacha con un largo vestido estampado con flores y dos trenzas rubias.

El padre de Tomi la reconoce de inmediato y, atónito, entrechoca sin querer sus platillos...

ELENA

Todos se giran hacia él, incluida Elena, que exclama sonriendo:

—¡Armando, qué sorpresa!

Lucía, igual de asombrada al comprobar que su marido conoce a la hermosa joven, les pregunta:

—¿Os conocéis?

—Sí... Es decir, no. Bueno... sí —contesta Armando, algo turbado—. Nos hemos conocido en el autobús. Ella me pidió información sobre una parada...

—¡Y también tocas los platillos! —añade Elena, admirada—. No me lo habías dicho.

—Solamente los platillos —precisa Lucía—. La única música que sabe producir mi marido es chocar una tapadera contra otra.

—Entonces habré oído mal —comenta Elena—. En el autobús me pareció que Armando me decía que tocaba también el violín, el piano, la guitarra...

—Estoy segura de que lo oíste perfectamente, Elena —rebate Lucía—. ¡Es probable que el chófer del autobús haya querido presumir más de la cuenta!

Todos echan a reír, incluido Tomi. No había visto antes a su padre tan nervioso e incómodo...

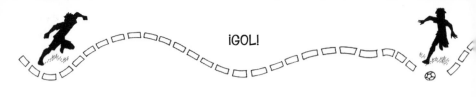

Los Cebolletas discuten delante del tablón de anuncios de la parroquia de San Antonio de la Florida, donde están colgados los resultados de la segunda jornada de liga. En su fuero interno, todos esperaban un resultado improbable: la victoria de los Estrellas contra los Leones de África. Pero...

2.ª JORNADA DE LA FASE DE VUELTA	
CEBOLLETAS - CAPITOSTES	5 - 1
LEONES DE ÁFRICA - ESTRELLAS	6 - 1
BALONES DE ORO - CLUB HURACÁN	2 - 3
VELOCIRRÁPTORES - SÚPER VIOLA	1 - 1

CLASIFICACIÓN	
CLUB HURACÁN	20
LEONES DE ÁFRICA	20
CEBOLLETAS	**19**
VELOCIRRÁPTORES	14
CAPITOSTES	9
SÚPER VIOLA	8
BALONES DE ORO	7
ESTRELLAS	3

GOLEADORES	
TOMI	**7**
RAFA	6
BRUNO	3
AQUILES	1
ELVIRA	1
DANI	1
ÍGOR	1
JOÃO	1

—Bueno, no era de esperar que los últimos de la clasificación nos hicieran semejante regalo —comenta Nico.

—Eso quiere decir que el regalo nos lo tendremos que hacer nosotros solos el próximo domingo, derrotando a los Leones en su jaula —rebate Fidu.

—Será tan fácil como entrar en la jaula de un león de verdad... —apunta Dani—. ¿Habéis visto cuántos goles han marcado?

—Seis —responde Lara—. Solo uno más que nosotros. Así que no me parece que haya motivos para asustarse.

Cuando Champignon llega junto al tablón los Cebolletas ya están en el vestuario, preparándose para el entrenamiento. Gaston lee el artículo que Tino ha estampado en su *MatuTino* y que tiene el siguiente título: «El Niño se acerca al capitán: 8-7». El periodista comenta la competición entre los dos delanteros por alzarse con el título de pichichi. Es la primera vez que aparece en el tablón la clasificación de los goleadores junto a los resultados de la jornada. Champignon la observa acariciándose el bigote por la punta izquierda: cuando dos compañeros pugnan entre ellos no es raro que el equipo se resienta.

La flor corre el peligro de marchitarse.

Hoy también el cocinero-entrenador insiste mucho en la defensa, y les explica por qué.

—Como recordaréis, los Leones tienen un tridente muy bueno. Si queremos ganarles, ante todo tendremos que jugar un partido perfecto en defensa.

—Ese Diouff era un peligro —comenta Dani.

—Sí, pero sus compañeros de ataque tampoco estaban para bromas —añade Fidu—. Todavía me acuerdo de sus dorsales: 97, 98 y 99. Tenía la impresión de participar en una tómbola...

—Pero si los números de la tómbola solo llegan al noventa —le dice Nico.

—Ah, ¿sí?... —farfulla Fidu, rascándose la cabezota y colocándose en la portería entre las risotadas de sus compañeros.

El cocinero-entrenador pide a Sara, Dani, Elvira y Lara que se pongan en la defensa, mientras Becan, Pavel y João se instalan en el centro del campo, dispuestos al ataque.

—Formarán un tridente como el de los Leones —explica Champignon—, con la única diferencia de que ellos atacarán con dos balones.

72

Un excelente ejercicio para los cuatro defensores, que tendrán que estar totalmente concentrados y moverse con suma agilidad y gran compenetración para perseguir al mismo tiempo dos balones, es decir, dos posibles riesgos.

En cuanto pita Champignon, Becan y João avanzan con la pelota al pie, cada uno por su banda. Sara y Lara, las laterales, salen a su encuentro. Los dos extremos pasan su pelota hacia el centro en el mismo momento, y Pavel se ve obligado a vigilar dos balones...

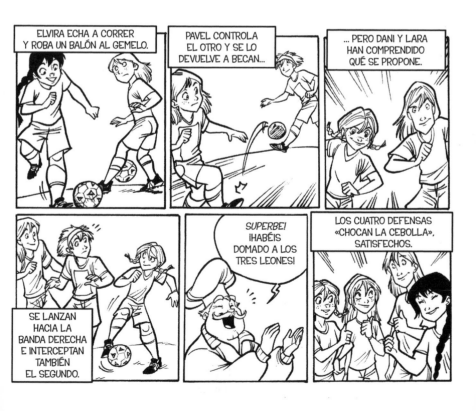

Mientras tanto, Tomi y Rafa corren lentamente alrededor del campo, pasándose el balón.

Es un día de duro trabajo también para Fidu, que el domingo se las verá con delanteros de gran nivel. Augusto lo está acribillando, literalmente... El chófer alinea cinco pelotas al borde del área.

Fidu está a la espera, en el centro de la portería, con un balón en la mano.

Augusto lanza el primer disparo. El guardameta lanza al aire su pelota, y tirándose al suelo rechaza el chut del chófer, se levanta a toda velocidad y bloca la suya antes de que caiga a tierra.

Hace lo mismo con los otros cuatro disparos de Augusto, que al final lo felicita.

—¡Magnífico, Fidu!

Solo ha encajado un gol y siempre ha logrado blocar su balón antes de que cayera al suelo.

Ahora el número 1 está de rodillas. Tiene flato.

—Estoy por dedicarme yo también al ajedrez —comenta, agotado.

Gaston Champignon llama a los Cebolletas al centro del campo y distribuye los chalecos de colores para formar los equipos. El entrenamiento acabará con el clásico partidito con porterías pequeñas.

Tomi y el Niño esperan que les diga con qué equipo tienen que ir, pero el cocinero-entrenador les manda que sigan corriendo alrededor del campo.

—¿Por qué no nos deja jugar el míster? —pregunta Rafa al capitán mientras le cede un balón—. ¿Es que estamos castigados?

—No lo sé —responde Tomi, devolviéndole la pelota—. A mí también me parece extraño...

Gaston Champignon observa a Aquiles, que parece de nuevo tranquilo y se entrena con ganas, y luego comenta a Augusto:

—A fuerza de pasarse el balón, los dos delanteros acabarán teniendo ese reflejo también durante los próximos partidos...

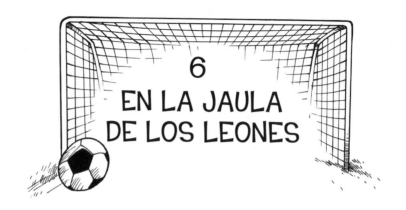

6
EN LA JAULA
DE LOS LEONES

Sábado por la tarde en casa de Tomi.

El capitán ya ha pasado la grasa por sus botas de fútbol para suavizar la piel y ha preparado con cuidado la bolsa para mañana. Ahora está delante del ordenador y trata de ponerse en contacto con Eva, que estará sentada delante de su ordenador en China.

Ahí está... El rostro de la bailarina ha aparecido en la pantalla. Tomi observa la pequeña webcam fijada a su ordenador y le envía una sonrisa. Imagina que echa a volar como un avión, atravesando mares y desiertos, y que aterriza como un beso sobre la mejilla de Eva.

El capitán cuenta a su amiga las últimas novedades: el caballito Mechones, la inauguración del renovado Paraíso de Gaston, la vuelta al equipo de Nico que, gracias a los consejos del abuelo Ziao y al manual de táctica de Sun Tzu, ha superado el miedo al fútbol entre equipos de once jugadores.

Por su parte, Eva está emocionada porque al final del curso se exhibirá con el ballet de la escuela en el fabuloso teatro de Pekín, que los Cebolletas habían visitado para asistir al espectáculo de los acróbatas. Luego le habla de su amiga Chen y de los éxitos del equipo de Halcón en el campeonato escolar.

Tomi pasa despacio una mano por la pantalla, ligeramente cubierta de polvo. Se diría que acariciara a su amiga bailarina.

Domingo por la mañana.

Es el viaje a domicilio más breve de la liga, porque el campo de los Leones de África está a un paso del de nuestros amigos.

El Cebojet está parado en el semáforo.

Gaston Champignon avisa al chófer de que está verde y deberían pasar.

—Cada vez que Violette vuelve a París se me va un poco la cabeza —confiesa Augusto sonriendo y metiendo la primera.

—Querido amigo, creo que tendréis que acortar las distancias —comenta el cocinero-entrenador—. Como hicimos Sofía y yo. Cuando nos enamoramos nos estu-

77

vimos persiguiendo una temporada: ella venía a Francia, yo me escapaba a Italia... Pero antes o después llega el momento de detenerse, así que decidimos que o los dos en Francia o los dos en Italia. ¡Y acabamos los dos en España! Al tenis se puede jugar con una red en medio, pero al amor no, especialmente cuando se está casado...

—Tienes razón, Gaston —aprueba Augusto—. Llevo tiempo pensando en el asunto.

—¡Pues no lo hagas al volante! —le suplica el cocinero-entrenador.

Los Cebolletas están de lo más concentrados.

La de hoy puede ser una jornada fundamental para la liga. El equipo de Tomi no solo tiene la oportunidad de ponerse por delante de los Leones de África, sino de encabezar la clasificación, porque los Huracanes visitan a domicilio el difícil campo del Súper Viola.

En el vestuario, Gaston Champignon explica cómo será la formación.

—Jugaremos con cuatro defensas, como hemos ensayado esta semana. Y volveremos a la alineación «cometa» en el centro del campo: Aquiles por delante de la defensa, Nico por detrás de los puntas, Bruno a la derecha y João a la izquierda. En el primer tiempo saldremos así: 4-3-1-2. Fidu; Sara, Elvira, Dani y Lara; Bruno, Aquiles y João; Nico; Tomi y Rafa. Los demás entrarán en la segunda parte.

—Por lo que más queráis, vigilad de cerca a sus tres delanteros —pide el portero—. Porque en el partido de ida les frenó el barro, pero hoy, con el campo seco, seguro que correrán como gacelas.

—Pues yo te aconsejo que te ates bien los cordones de las botas —le recuerda Tomi—. No me gustaría que volvieras a caerte rodando sobre el árbitro...

Los Cebolletas sueltan una carcajada, mientras Lara se arrodilla y le hace un nudo doble a los cordones de Fidu.

Al salir al campo para calentar, los chicos se encuentran con una maravillosa sorpresa. El primero en darse cuenta es João.

—¡Mirad, si está Mechones!

En efecto, detrás de una portería está el poni de los gemelos con el hocico apoyado en la valla, al lado de Camilo.

Los Cebolletas van corriendo a saludarlos.

—¿Qué haces aquí, Mechones? —pregunta Pavel.

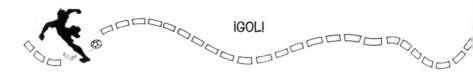
—Le he sacado a dar un paseo —contesta el campesino—. Le sentará bien a su pata.

Bruno, que adora a los animales y de grande quiere ser veterinario, pasa los dedos a través de la red y le acaricia el hocico.

—Qué bonito es...

Poco después, el árbitro llama a los jugadores de los dos equipos al centro del campo y se dispone a pitar el saque inicial.

—¡Te dedicaremos nuestros goles, Mechones! —le promete Sara—, pero tú tendrás que relinchar por nosotros, ¿de acuerdo?

Fidu a menudo es de los que meten la pata hasta el fondo, pero esta vez ha dado totalmente en el clavo: el campo de hierba sintética de los Leones de África, sin charcos ni hierba alta, es ideal para correr y, tras los largos pases de los mediocampistas, el delantero Diouff y los extremos crean enseguida grandes problemas a la defensa de Dani.

Augusto ha sugerido al guardameta una táctica de lo más oportuna: «¡No te quedes entre los palos cuando ataquemos nosotros! ¡Vete hasta el borde del área!».

Gracias a ese consejo, los Cebolletas ya han evitado un par de goles.

Primero el número 34 de los Leones, y luego el 16, han hecho llegar el balón a Diouff. En las dos ocasiones, el número 99 ha superado por velocidad a Dani, que tiene las piernas largas y al que le cuesta más ponerse en movimiento.

FIDU SE DA CUENTA ENSEGUIDA DEL PELIGRO Y ECHA A CORRER HACIA EL LEÓN...

... SE LE ADELANTA DERRAPANDO Y RECHAZA EL BALÓN.

¡GENIAL, FIDU!

El partido transcurre como si los Cebolletas hubieran abierto una puerta y los hubiera arrollado una cascada de agua... Desde que sonó el pitido inicial no han hecho más que defenderse de los ataques de los Leones, que presionan incluso con sus defensas. Los chicos de Champignon no se esperaban un asalto tan impetuoso.

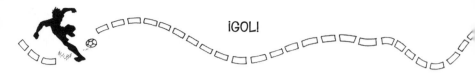

Es posible que las dos victorias en los dos primeros encuentros hayan hecho que el equipo de Tomi se envaneciera un poco.

El centrocampista con el dorsal 34 supera a Nico, avanza y vuelve a ceder a Diouff, que lleva un collar de cuero con un diente de león. Mientras el balón vuela por el aire, el 97 y el 98 echan a correr desde las bandas hacia el centro, seguidos por Sara y Lara. Los dos delanteros se cruzan y penetran en el área. Las gemelas, que siguen con la vista la llegada del balón, chocan entre sí.

Diouff se adelanta a Elvira y prolonga con la cabeza la trayectoria de la pelota hasta el número 97 que, desmarcado, bate a Fidu: ¡1-0!

Un grupo de africanos, con largas túnicas de todos los colores, lo celebra danzando y aporreando con las manos grandes tambores. Un estruendo ensordecedor, que cubre el de los hinchas de los Cebolletas.

—Nos dejan sin palabras en el campo y en la tribuna... —comenta abatido Carlos, el padre de João.

—¡Despertad, Cebolletas! —aúlla Armando poniéndose en pie.

—Nos están aplastando... —dice Tomi al Niño antes de colocar el balón sobre el círculo de yeso para reanudar el encuentro.

—Corren demasiado —comenta Rafa—. Esperemos que se cansen pronto.

Por el momento los Leones de África parecen frescos como rosas. No dejan de atacar ni siquiera después de haberse puesto por delante con un gol de ventaja. Los tres delanteros, cambiando constantemente de lugar, crean graves apuros a los defensores de Champignon, que tienen que moverse sin parar. En comparación, el ejercicio del entrenamiento con dos balones era un juego de niños...

El 97 echa a correr desde la derecha y de improviso dispara un tiro cruzado, durísimo, que se estrella contra el interior de un poste. El balón rebota y acaba entre las manos de Fidu, que le da un beso con un suspiro de alivio, antes de lanzarlo lo más lejos posible.

El 98 también estrella de un cabezazo una pelota contra un poste, después de tirarse en plancha a pase de Diouff. Lara concede un saque de esquina.

Es indiscutible que los Leones merecerían haber metido más goles. Pocas veces han tenido tanta suerte los Cebolletas.

Es el resultado final del primer tiempo.

—¡Nos llevaremos a Mechones a todos los partidos! —exclama Dani al entrar en el vestuario.

—¿Por qué? —pregunta João.

—¿Cómo que por qué? —responde el defensa andaluz, el más supersticioso del equipo—. ¡Da más suerte que un trébol de cuatro hojas! ¡Nos han acribillado a balonazos, han estrellado dos pelotas contra el palo y empatamos a uno! Hemos marcado gracias a nuestro único tiro a puerta...

—En efecto —afirma Sara—, es un resultado tan falso como los billetes del Monopoly. No nos lo merecemos en absoluto.

—Tienes razón, pero el fútbol es así —rebate Tomi—. ¡No hemos robado nada! En la primera final del campeonato entre equipos de siete jugadores merecimos ganar, pero nos derrotaron los Tiburones. ¿Tengo razón o no? Dejemos de lamentarnos y pensemos en qué hacer para jugar mejor en la segunda parte.

—El capitán tiene razón —aprueba Champignon—. Tener suerte no es un pecado. En el segundo tiempo cambiaremos algunas cosas y trataremos de ganarnos nuestros puntos.

—Tienen unos delanteros demasiado veloces —comenta con tristeza Elvira—. No podemos hacer nada...

—Sí: que les lleguen menos balones —explica el cocinero-entrenador—. En lugar de Dani y Nico entrarán Julio y Becan, que jugarán en el centro del campo. Así formaremos una barrera de cinco: formación 3-5-2. Si presionamos bien a sus mediocampistas, sus atacantes recibirán menos balones y serán menos peligrosos. Pavel e Ígor sustituirán a las gemelas. Aunque no juegan a menudo en defensa, son muy rápidos y sabrán responder a los *sprint* del 97 y el 98. ¿Alguna duda?

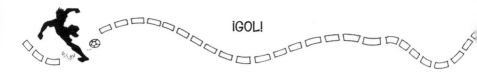

—Ni al mítico Sun Tzu se le habría ocurrido una estrategia mejor —aprueba Nico.

El cocinero extiende la mano y los Cebolletas colocan las suyas encima.

—¿Somos pétalos sueltos o una flor?

—¡Una flor! —responde a coro el equipo.

Armando vuelve a las gradas con Carlos y el padre de Becan.

—Hemos ido a tomar un café al bar del club —explica el padre de Tomi sentándose junto a su mujer.

—Creía que te habías ido al Paraíso de tu amiga Elena... —contesta Lucía.

La señora Sofía y la madre de las gemelas sonríen divertidas.

En parte por los cambios de Champignon y en parte porque los Leones se han desbravado durante el primer tiempo, la segunda parte resulta mucho más equilibrada y se alternan los ataques de uno y otro equipo.

La muralla que forman Julio, Becan, Bruno, Aquiles y João parte en dos al equipo rival, y al tridente africano cada vez le cuesta más recibir pases precisos para echar a correr, como sucedía en el primer tiempo.

Es precisamente un balón interceptado por Aquiles el que llega a los pies de Julio, que pasa a Tomi desde su banda derecha. El capitán, frenado por un León, cede la pelota a Rafa y sigue corriendo. El italiano se la devuelve. Van avanzando así, en paralelo, hasta el área de los rivales, intercambiándose constantemente el balón, como si estuvieran corriendo en torno al campo de la parroquia de San Antonio de la Florida.

El Niño entra en el área, supera al guardameta con un autopase y dispara a puerta, pero la pelota no entra porque un defensa la despeja con la mano lanzándose en plancha sobre la misma línea de meta. ¡Penalti!

Tomi, que ya ha marcado un gol, se hace con el balón y lo lleva a Rafa.

—¿Quieres tirarlo tú?

—Gracias, pero el que dispara los penaltis eres tú —contesta el italiano—. Adelante y marca...

El capitán coloca la pelota sobre el punto de penalti, toma carrerilla y advierte que Mechones se inclina ligeramente hacia el ángulo inferior derecho del portero. Acepta el consejo y dispara justo en esa dirección: ¡1-2!

Luego echa a correr hacia el poni, pasándose la mano de arriba hacia abajo sobre la cabeza, como había hecho Ígor.

Los Leones echan toda la carne en el asador para empatar, y el final del partido se convierte en un auténtico asedio.

Fidu hace dos milagros antes de verse solo ante Diouff...

El 99 lanza un zambombazo raso, el guardameta logra tocarlo con el pie, pero el balón rebota contra el brazo de Elvira y sale por la línea de fondo.

¡El árbitro señala el círculo de yeso y pita penalti!

Los tambores de Carlos baten en son de protesta.

La antigua jugadora del Rosa Shocking trata de explicar que ha sido completamente involuntario.

Lo mismo hace, a su modo, Fidu.

—¡Perdone, señor árbitro, pero no iba a cortarse el brazo! Es el derecho, lo necesita para escribir...

—¡Vuelve a la portería y no te hagas el gracioso si no quieres ver una tarjeta roja! —responde con severidad el colegiado.

No hay nada que hacer: Diouff marcará el penalti. Adiós a la remontada...

El delantero toma carrerilla y besa el diente de león que lleva colgado del cuello.

Fidu lo mira y se le ocurre una idea.

Por último, le da un beso a la pelota y la manda hacia el centro del campo.

El árbitro pita el final del partido: Leones de África 1 – Cebolletas 2.

Carlos y sus amigos brasileños ponen a cantar sus tambores, Armando abraza el esqueleto Socorro. El resultado merece una fiesta especial.

¡El equipo de Tomi ha logrado la remontada!

7
COMO UNA
MUÑECA
ROTA

El té de las cinco se está convirtiendo en una agradable costumbre también en el Paseo de la Florida, del madrileño barrio de la Casa de Campo. No solo en Inglaterra se practica esta costumbre...

Desde que ha reabierto el renovado Paraíso de Gaston, casi todas las tardes la señora Sofía, la madre de las gemelas y la de Tomi se encuentran para charlar entre las flores de Champignon, saboreando un té o una tisana. Cada una tiene sus preferencias, pero con frecuencia aceptan las sugerencias de Elena y prueban un nuevo brebaje.

Hoy, por ejemplo, la joven de las trenzas rubias les propone una taza del apreciadísimo té blanco.

—Se pueden fiar, señoras, son hojitas de la mejor calidad. En la antigua China este té era cultivado en los jardines secretos del emperador. Unas muchachas cortaban los brotes con tijeras de oro y los ponían a secar en fuentes de oro. Se considera el té más preciado de todos y se produce en cantidades limitadas.

—Creo que es justo lo que merecemos mujeres de clase como nosotras —bromea Sofía Champignon.

—Yo también me apunto —aprueba Daniela, haciendo tintinear sus brazaletes—. Entre otras cosas porque siempre he sentido debilidad por el oro...

Lucía, que acaba de finalizar su turno y todavía va vestida de cartera, sonríe divertida.

—¡Entonces, té blanco para todas!

También frecuenta habitualmente el Paraíso de Gaston Clementina que, sentada a la mesita situada debajo de la pérgola y junto a la fuente, encuentra la tranquilidad ideal para estudiar mientras sorbe una infusión de saúco.

No se han dado cita, pero a primera hora de la tarde del martes los Cebolletas están todos delante del tablón de anuncios de la parroquia. Con mucha antelación, porque Tino todavía no ha colgado los resultados ni la clasificación. Ni el último número del *MatuTino*.

—Ni cuando exponen las notas de fin de año estoy tan nervioso... —dice Nico.

91

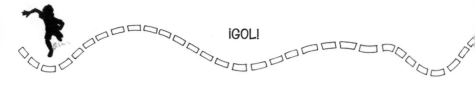
—Te creo —comenta Fidu—. Pero ¿por qué te pones nervioso? De todas formas, sabes perfectamente que solo sacas sobresalientes...

Sara y Lara ríen con sorna.

Los Cebolletas anhelaban verse en el segundo puesto, a un solo punto de distancia del Club Huracán. Haber llegado tan alto, en su primera liga entre equipos de once jugadores, es una gran satisfacción. Después de los dos primeros partidos, el equipo de Champignon iba el último con cero puntos, pero no tiró la toalla, se entrenó duramente para corregir sus defectos y poco a poco fue subiendo en la clasificación, aprendiendo algo en cada encuentro.

Como repite siempre Gaston Champignon: «No se sabe quiénes son los mejores por sus resultados, sino por sus progresos».

En este sentido, sus pupilos están demostrando que son los mejores.

El justo premio a sus grandes esfuerzos de estos meses es leer el nombre de su propio equipo ahí arriba: ¡un solo conjunto por encima y seis por debajo!

Al final aparece Tino por la verja, con unas hojas en la mano.

—¡Ahí está! —avisa Pavel.

El pequeño periodista abre con una llavecita la vitrina del tablón de anuncios y cuelga una hoja con los resultados y la clasificación. Al lado coloca el último número del *MatuTino*.

El primero en llevarse una sorpresa es Nico.

—Pero...

La emoción le impide acabar su frase, así que João lo hace por él.

—¡Vamos los primeros! ¡Los Huracanes han empatado!

3.ª JORNADA DE LA FASE DE VUELTA	
LEONES DE ÁFRICA - **CEBOLLETAS**	1 - 2
CAPITOSTES - VELOCIRRÁPTORES	0 - 2
ESTRELLAS - BALONES DE ORO	1 - 1
SÚPER VIOLA - CLUB HURACÁN	0 - 0

CLASIFICACIÓN	
CEBOLLETAS	**22**
CLUB HURACÁN	21
LEONES DE ÁFRICA	20
VELOCIRRÁPTORES	17
CAPITOSTES	9
SÚPER VIOLA	9
BALONES DE ORO	8
ESTRELLAS	4

GOLEADORES	
TOMI	**9**
RAFA	6
BRUNO	3
AQUILES	1
ELVIRA	1
DANI	1
ÍGOR	1
JOÃO	1

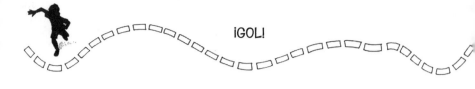

Los Cebolletas se abrazan y se ponen a dar saltos delante del tablón, cantando «¡Cebo-oé, oé, oé!» y «chocándose la cebolla» con el puño cerrado y el pulgar levantado.

Pedro y César, intrigados por los gritos y las celebraciones, se acercan en bicicleta.

—Por si no sabéis leer —les dice Fidu—, el primer nombre que encabeza la clasificación es el de los Cebolletas, ¡el equipo que os ganó la última final!

César observa con incredulidad la hoja colgada del tablón.

Pedro da rápidamente la vuelta a su bici.

—Hacéis bien en celebrarlo ahora, porque al final los que se alegren seremos otros. Los Tiburones Azules tenemos seis puntos de ventaja sobre el segundo equipo y sí que podemos estar tranquilos...

—Ya te lo he explicado, Pedro —continúa Fidu—. Nuestra liga es para los grandes. Durante el descanso, vosotros, en lugar de beber té bebéis leche de un biberón...

Los Cebolletas sueltan el trapo mientras los dos Tiburones se alejan hacia la verja.

El primer puesto tiene entusiasmados a los chicos de Champignon, que se han entrenado con ahínco toda la semana. Todos menos Aquiles. De hecho, el antiguo matón solo se ha dejado ver una vez...

Durante la semana también ha habido otro problemilla: una riña entre Tino y Nico, a quien no le ha gustado el último artículo del *MatuTino*.

El periodista ha vuelto a hablar del concurso de goleadores entre Tomi y Rafa y ha escrito: «Gracias al doblete en la jaula de los Leones, el capitán se ha distanciado del Niño: 9-6. Pero quiero destacar otra cosa: hasta ahora Nico ha dado tres pases de la muerte a Tomi, además de la finta que le permitió marcar contra los Huracanes y que cuenta como una asistencia más. Así que Nicözil ha hecho marcar cuatro goles al capitán y ni uno solo al italiano. Sin esos cuatro goles, el Niño sería el pichichi del equipo. El arma secreta de Tomi es Nico. ¡Es verdad que quien tiene un amigo tiene un tesoro!».

Nada más leer el artículo, Nico ha buscado al periodista para decirle un par de cosas.

—¡Has escrito un montón de mentiras! ¡No es verdad que solo le pase la pelota a Tomi porque sea amigo mío!

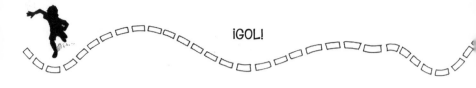

—Yo no he dicho eso —se justifica Tino—. Me he limitado a subrayar la estadística: cuatro asistencias a Tomi y ninguna a Rafa. Las matemáticas no son cuestión de opinión.

—¡Pero si no es más que una coincidencia! —rebate Nico—. Además, estoy más compenetrado con el capitán porque llevamos más tiempo jugando juntos. Es lógico. En cambio, al leer tu artículo parece que lo hago aposta para que no marque Rafa. ¡Me has insultado!

«No —piensa Tino—, he sido un buen periodista, porque los periódicos también sirven para alimentar los debates y esta semana en la parroquia nadie hablaba de otra cosa que de la rivalidad entre Tomi y el Niño.»

El artículo de Tino también se le ha metido en la cabeza al italiano, como se aprecia mediado el primer tiempo del partido Cebolletas – Velocirráptores, cuando Rafa, libre de marcaje en el área, pide el balón a Nico, que no lo ve y trata en cambio de dar una asistencia al capitán, errando el pase.

—¡Nico, yo también juego! —vocifera el italiano—. ¡Tomi no es el único! ¿Me vas a pasar el balón alguna vez esta liga?

El número 10 agacha la cabeza y regresa al centro del campo sin contestar.

En el banquillo, Gaston Champignon se atusa el bigote por el extremo izquierdo. No le gusta lo que ha visto y no le gusta cómo se están tomando el partido sus pupilos. Están demasiado nerviosos.

Es probable que la responsabilidad de ocupar el primer puesto en la clasificación les esté jugando una mala pasada. Los Cebolletas saben que, si derrotan hoy a los Velocirráptores, que van cuartos con 17 puntos, la liga se les pondrá cuesta abajo, porque en los encuentros restantes se medirán con los últimos de la clasificación.

La tribuna de la parroquia de San Antonio de la Florida está llena a rebosar. Nuevos espectadores del barrio han acudido al campo para ver cómo juega el equipo que se ha puesto en cabeza de la liga, por lo que el ambiente enardecido contribuye a aumentar aún más la tensión.

Los Cebolletas nunca habían fallado tantos pases como en este primer tiempo. Por otra parte, en la fase de ida los Velocirráptores habían creado problemas al equipo de Tomi, que si ganó fue gracias a un autogol. También en el partido de vuelta los rivales levantan

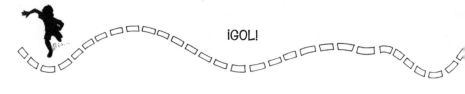
una sólida muralla de cinco mediocampistas, por detrás del número 9, ágil y lleno de reflejos como una gacela, que crea muchísimos apuros a la defensa de los Cebolletas...

Es precisamente él quien recibe el balón cuando está escorado por la banda izquierda. Finge echar a correr hacia el banderín para luego hacer un pase cruzado, pero en realidad penetra en el área regateando a Sara y con el interior del pie dibuja una parábola perfecta, que entra en la portería por la escuadra del segundo palo: 0-1.

César y Pedro lo celebran en las gradas.

—¡Despertad, Cebolluchos, dejad de soñar!

Tomi lleva la pelota hasta el centro del campo y anima a su equipo.

—¡Adelante, chicos, ahora es cuando de verdad empieza el partido!

Espoleados por haberse adelantado a los primeros de la clasificación, los Velocirráptores luchan por mantener la pelota lejos de su portería, recurriendo a la dureza; en particular el número 4, que se ha pegado a Tomi desde el primer minuto, comete una falta tras otra. Tiene una nariz propia de un boxeador, aplastada en la cara, y lleva tatuada una araña en la mano. No es muy alto, sino obeso como César y torpe de movimientos como un títere de madera.

El capitán se le enfrenta al borde del área y lo supera con un caño. Pero el número 4 lo persigue y le hace una zancadilla por la espalda.

La tribuna reacciona con pitos y gritos. El árbitro acude y amonesta al defensa de los Velocirráptores, que se inclina sobre Tomi, todavía dolorido en el suelo, y le susurra con severidad: «¡No me vuelvas a hacer un túnel en tu vida!».

El capitán se levanta y se dirige hacia el balón.

—Saca tú la falta —dice al Niño—. Me duele el pie...

El italiano toma carrerilla y dispara un cañonazo que se estrella contra la barrera. La pelota vuelve atrás y Tomi se la encuentra entre los pies. Finge ir a disparar al vuelo, de modo que el defensa que le ha salido al encuentro se da la vuelta, y el capitán pasa por el hueco que se ha creado en la barrera con el balón pegado al pie y se ve solo delante del portero. Lo bate con el exterior derecho: ¡1-1!

El empate devuelve la tranquilidad y el coraje a los Cebolletas, que finalmente empiezan a jugar como los mejores de su clase y a dar espectáculo, empujados por el entusiasmo de su público.

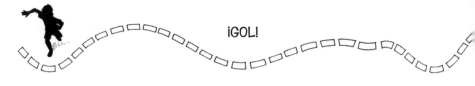

Becan está literalmente enloquecido. Hace un *sprint* tras otro por la banda derecha, tan rápido como en Pekín cuando le ganó la carrera a João sobre el puente del lago Kunming.

Rafa aprovecha el primer pase de Becan cabeceando a puerta, pero la pelota rebota en el poste y acaba entre los brazos del portero, que ni siquiera se ha movido.

El segundo pase de Becan es más largo y supera a toda la defensa. João se lanza a correr desde su banda izquierda y dispara un zurdazo al vuelo con el empeine. Tomi se tira derrapando delante de la portería. Logra adelantarse a su marcador, pero por increíble que parezca el balón se eleva sobre el larguero...

Se masca el 2-1. A lo mejor ahora...

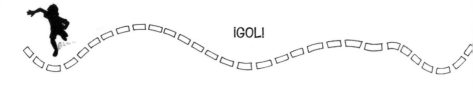

Tomi cae a tierra dando un grito estremecedor. El graderío enmudece. Champignon y Augusto entran corriendo al campo: han comprendido enseguida que la lesión es grave. Sara se aleja impresionada, porque el pie del capitán está torcido como el de una muñeca rota. Tomi llora y aúlla de dolor.

Armando y Lucía entran también en el campo.

Nadie presta atención a Aquiles, que estaba en el banquillo y ahora se dirige hacia el centro del campo. Se acerca al número 4 y lo tumba de un manotazo en la cara. Augusto interviene para proteger al antiguo matón de la reacción de los Velocirráptores y lo acompaña al vestuario. El árbitro expulsa tanto a Aquiles como al número 4 y logra finalmente aplacar los ánimos.

Gaston Champignon toma en brazos a Tomi y lo conduce hacia la salida, mientras Armando corre a por el coche para llevarlo a la unidad de primeros auxilios. Lucía está pálida como el yeso.

El partido se reanuda, pero es como si los Cebolletas estuvieran ausentes. Durante el resto del segundo tiempo, Nico y sus compañeros vagan por el campo pensando solo en su capitán. El resultado no cambia: 1-1.

Al regresar al vestuario, Augusto recibe una llamada telefónica de Champignon: Tomi tiene el pie roto.

8
TINO, ENVIADO ESPECIAL

Por la tarde los Cebolletas van a visitar a su capitán. También acude Adriana. Solo falta Aquiles.

Lucía acompaña a los chicos al cuarto de Tomi, que está tumbado sobre la cama con un chándal. Todas las miradas se dirigen inmediatamente al tobillo del delantero, que está enyesado.

Tomi se da cuenta de que sus compañeros están más tristes que él y trata de bromear.

—Si hubiera sabido que sin mí no conseguiríais meter un solo gol a los Velocirráptores, la verdad es que no me habría roto el pie...

—Bueno, como sabes, Nico solo te da pases a ti —responde Rafa sonriendo.

—¡Mentira! —salta como un resorte el número 10—. Es una mentira de Tino. Esa pulga se divierte creando polémicas...

Las gemelas tienen pocas ganas de bromear.

Sara se acerca a la cama y acaricia el gigantesco pie del capitán, como si fuera un gato de yeso.

—¿Está roto de verdad? —pregunta.

—Parece que sí —murmura Tomi—. Me he fracturado el maléolo. Pero podía haber sido peor. El doctor me ha dicho que, en estos casos, normalmente hay que operar para soldar el hueso con tuercas, pero parece que yo me las apañaré con un mes enyesado.

—¿Y luego? —insiste Sara.

—Luego tendré que hacer ejercicios de rehabilitación —explica el capitán—. Y dentro de tres meses estaré listo de nuevo para jugar. Para el comienzo de la próxima liga estaré totalmente en forma.

Fidu suelta una de las suyas.

—Ya sabía yo que el maléolo era malévolo...

Todos sueltan una carcajada, hasta Lucía y Armando, que se han quedado en el umbral. El padre del capitán felicita al portero.

—¡Una magnífica salida, Fidu! Podría haber sido una de las mías...

João cuenta al capitán la reacción de Aquiles y su expulsión.

—Tengo que reconocer que me encantó ver a ese carnicero tumbado en el suelo... —comenta.

—Pues yo habría preferido que Aquiles no hubiera reaccionado de esa forma —contesta Tomi que, a pesar de tener el pie enyesado, no olvida que es el capitán de los Cebolletas.

—¡Pero si ese tipo te ha destrozado un pie! ¡Y aposta, además! —estalla el brasileño.

—No negaré que no estuvo bien, pero eso no justifica que también nosotros nos volvamos violentos —le corrige Tomi—. Nosotros tenemos nuestras reglas de juego limpio y le prometimos a Champignon que las respetaríamos. Además, ahora Aquiles ha sido suspendido durante un buen tiempo, con lo que hemos perdido un buen jugador en el momento decisivo de la liga. Y bien pensado, a lo mejor también es un poco culpa mía: no tendría que haberle hecho dos caños al número 4. Pero me había provocado y quise darle una lección...

Dani no está en absoluto de acuerdo.

—¡Ese bestia te ha destrozado un pie y tú un poco más y le pides perdón!

—No estoy pidiendo perdón —se explica el capitán—, pero la verdad es que sin esos túneles no se habría producido la agresión y podríamos haber ganado el partido. Este empate podría hacer que perdiéramos la liga...

105

—No te preocupes, capitán —promete Lara—. ¡Ganaremos igual y serás tú quien vaya a recoger la copa con tus muletas!

—Si hemos empatado nosotros, el Club Huracán también puede hacerlo en alguno de los partidos que le quedan —añade Becan—. En cambio, ¡nosotros los ganaremos todos y volveremos a ser primeros!

—Tranquilo, Tomi —le reconforta el Niño—. Marcaré yo en tu lugar, siempre que Nicözil se decida a pasarme el balón...

—¡Si te lo paso siempre que puedo! —exclama el número 10.

El capitán se echa a reír.

Sus amigos le piden a Tomi un rotulador y le firman uno por uno el yeso. Adriana dibuja una flechita que atraviesa un corazón y escribe debajo: «Hasta enyesado, siempre te he admirado».

Tomi le dedica una sonrisa.

Luego los chicos se despiden y salen de la habitación.

Pero un segundo después Fidu da marcha atrás y asoma su cabezota por la puerta.

—Consuélate, capitán —dice—. Si hubieras sido un caballo, ahora que estás cojo alguien te habría convertido en filetes...

106

Tomi suelta una carcajada tan fuerte que siente un pinchazo de dolor en el tobillo.

Aquiles está charlando con sus amigos delante del pub de la calle Princesa. En cuanto reconoce a lo lejos a Gaston Champignon, entra en el local. El cocinero-entrenador entra después, porque lo está buscando, pero el antiguo matón se ha esfumado.

Champignon pide que le indiquen dónde vive Aquiles. Es una vieja casa adosada, antiguamente muy típica en la zona, que da a un gran patio. Le abre una mujer con dos gafitas redondas, un delantal atado a la cintura y un par de vaqueros en la mano.

—Encantado, madame, me llamo Gaston Champignon.

La madre de Aquiles, con cara de preocupación, le invita a entrar.

—Perdón por el desorden. Estaba haciéndoles un dobladillo a estos pantalones y tengo todavía un montón de trabajo que hacer...

LA MADRE DE AQUILES

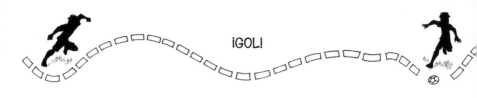

—No se preocupe, señora —la tranquiliza el cocinero—. Su casa nunca llegará a estar tan desordenada como mi cocina...

Champignon y la madre de Aquiles, que trabaja de costurera, se sientan a una mesa cubierta de camisetas y camisas que esperan un remiendo o un golpe de plancha.

—Ya sé lo que hizo mi hijo el domingo pasado —dice enseguida la madre de Aquiles—. Créame que le repito todos los días que se porte bien, pero ese chico...

El cocinero la interrumpe.

—Su hijo es muy simpático y con nosotros siempre se ha portado bien. No he venido aquí por lo que sucedió el domingo, sino solamente para preguntarle si últimamente Aquiles ha tenido algún problema personal. Habla poco, parece nervioso...

—Es verdad —confirma la madre—. Le ha sentado mal lo de su hermano...

—¿No iba a volver a casa a pasar unos días? —pregunta Champignon.

—Iba —aclara la señora—. Pero Héctor se peleó con un compañero de la cárcel y le suspendieron la licencia. Aquiles ya le había comprado un regalo con sus ahorros. Están muy unidos.

—¿Héctor es ese? —pregunta el cocinero, señalando una foto.

—Sí —responde la mujer con una sonrisa maternal.

En la foto que cuelga de la pared, Aquiles tiene dos años y sonríe sobre los hombros de un chico idéntico al actual Aquiles. Al fondo se ve el mar.

—¡Mirad, ahí viene el capitán! —anuncia Sara.

Tomi entra por la verja de la parroquia apoyando un solo pie, con la ayuda de un par de muletas y manteniendo levantado el tobillo enyesado.

—¿Ya te has puesto en pie, capitán? —le pregunta Becan.

—Sí —responde el delantero—. Estoy haciendo una prueba, a lo mejor me recupero para el domingo...

Los Cebolletas sonríen.

—¿Así que tenemos buenas noticias? —inquiere Tomi, indicando el tablón de anuncios con una señal de la barbilla.

TOMI

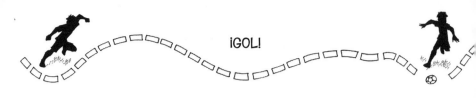

—Me temo que no —farfulla João—. Los Huracanes y los Leones han ganado.

—¡Pero todavía nos quedan tres partidos para remontar! —salta Fidu.

—Y, además, los Huracanes y los Leones tienen que enfrentarse entre sí —añade Nico—. Así que uno de los dos seguro que pierde puntos. ¡Todavía hay liga!

Tomi se acerca al tablón para leer los resultados y la nueva clasificación.

4.ª JORNADA DE LA FASE DE VUELTA	
CAPITOSTES - SÚPER VIOLA	0 - 1
CEBOLLETAS - VELOCIRRÁPTORES	1 - 1
BALONES DE ORO - LEONES DE ÁFRICA	1 - 2
CLUB HURACÁN - ESTRELLAS	5 - 0

CLASIFICACIÓN	
CLUB HURACÁN	24
LEONES DE ÁFRICA	23
CEBOLLETAS	**23**
VELOCIRRÁPTORES	18
SÚPER VIOLA	12
CAPITOSTES	9
BALONES DE ORO	8
ESTRELLAS	4

GOLEADORES	
TOMI	**10**
RAFA	6
BRUNO	3
AQUILES	1
ELVIRA	1
DANI	1
ÍGOR	1
JOÃO	1

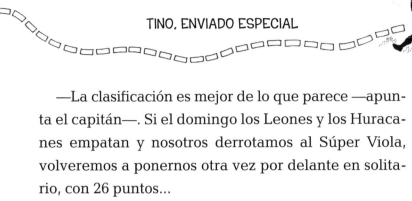

—La clasificación es mejor de lo que parece —apunta el capitán—. Si el domingo los Leones y los Huracanes empatan y nosotros derrotamos al Súper Viola, volveremos a ponernos otra vez por delante en solitario, con 26 puntos...

—Y luego nos mediremos a los dos equipos más flojos —añade Fidu—. Es verdad que no nos va tan mal.

—Podríamos enviar a Tino a que siguiera el encuentro Leones-Huracanes —propone Nico—, así sabríamos enseguida el resultado.

—Es una buena idea —aprueba Tomi—, pero mejor será que no pensemos demasiado en los partidos ajenos y nos concentremos en los nuestros: tenemos que ganarlos todos. El domingo pasado, el Súper Viola ganó a domicilio. Y además nosotros estaremos sin Aquiles. No nos espera precisamente un paseo triunfal.

Los Cebolletas recogen sus bolsas y van al vestuario. Tomi deja en el suelo las muletas y se sienta extendiendo la pierna sobre el banco. Asistirá al entrenamiento de sus compañeros.

Saber que no les podrá ayudar en los tres próximos partidos decisivos le duele más que el tobillo roto.

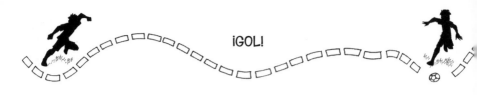
Domingo por la mañana.

Tino ha aceptado la propuesta de los Cebolletas. Se despide de ellos mientras suben al Cebojet y sale en bici hacia el campo de los Leones de África, donde se disputará el encuentro más importante de la jornada.

Los Súper Viola visten su característica camiseta violeta con un disco blanco en la barriga y han adoptado la misma formación que a la ida: 4-1-4-1. Delante de los cuatro defensas juega Tamara. ¿Te acuerdas de ella? Es una mediocampista con mucho carácter, como Xavi, el maravilloso central del Barça.

En la fase de ida fue de las mejores en el campo y hoy también parece en forma. Se ha pegado a Nico y no le deja tocar un solo balón. Es muy buena anticipándose y a ella se debe en buena parte que los Cebolletas apenas consigan crear jugadas de gol.

Rafa e Ígor, que ha sustituido a Tomi en la delantera, no han recibido todavía ni un solo pase.

El primer tiempo acaba con empate a cero.

De vuelta en el vestuario, el Niño recrimina a Nico, ligeramente enfadado.

—Tino tiene razón, no me pasas nunca el balón...

—¡No lo hago aposta! —se justifica el número 10—. ¡Esa chica se me ha pegado como un sello a un sobre!

Gaston Champignon los escucha atusándose el bigote por el lado izquierdo. Como se temía, los artículos de Tino han creado tensiones en el vestuario y la preocupación por la clasificación ha encrespado todavía más los ánimos. Los Cebolletas están nerviosos. Sería una auténtica lástima que los Huracanes y los Leones empataran y que ellos no consiguieran batir al Súper Viola...

Al volver al campo van todos hacia la grada para pedir novedades a Tomi, que está en contacto con Tino por el móvil.

—Los Leones y los Huracanes siguen empatados a cero —les comunica el capitán—. Si metemos un gol, ¡nos ponemos primeros!

—¡Pero si no me pasan el balón! —se queja Rafa.

Tomi, con la ayuda de las muletas, se acerca a la valla para dar un consejo al italiano.

—Deja a Ígor en el centro y tú escórate a la izquierda. Su número 2 es el más lento de la defensa. Sal desde lejos y supéralo en velocidad.

Se «chocan la cebolla» a través del enrejado.

En la segunda parte Tamara sigue marcando al número 10 de los Cebolletas, hasta que este le dice:

113

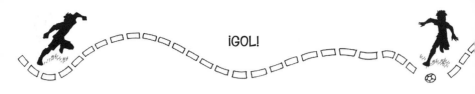
—¿Por qué me persigues sin parar? ¡Te aviso de que tengo novia!

—No te preocupes —responde la Súper Viola—, no eres mi tipo.

El Niño, con el pulgar en la boca, corre hacia la tribuna y señala a Tomi con un dedo, para agradecerle el consejo. El capitán lo celebra haciendo también la pipa y dando saltitos con un solo pie. Luego se sienta y llama inmediatamente a Tino.

—¿Cómo va eso?

—¡Siguen empatados a cero! —exclama el periodista al teléfono—. Pero los Huracanes están atacando como indios en pie de guerra... Acaban de estrellar un balón en el larguero.

La victoria de los Huracanes sería el peor resultado posible, el único que impediría que los Cebolletas se pusieran los primeros. En cambio, si ganaran los Leones, quedarían empatados a puntos con los Cebolletas.

Faltan todavía diez minutos para que acaben los dos partidos.

Tomi empieza a comerse las uñas con nerviosismo. En una mano lleva el móvil, esperando que no suene, lo que querría decir que no ha marcado nadie en el campo de los Leones...

João echa a correr con uno de sus endiablados desmarques. Regatea a un Súper Viola con un autopase y a otro con una experta finta, hasta que lo tumban al borde del área.

115

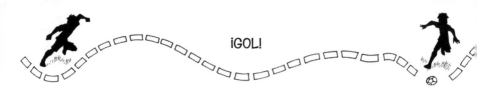

Rafa coloca la pelota en el suelo para sacar la falta, pero se le acerca Nico y le pregunta:

—¿Puedo sacar yo?

—No me das ni un triste pase y me robas las faltas... —contesta el italiano.

—Una sola falta... —le suplica el número 10.

El Niño se aleja, sin demasiada convicción.

Nico estudia la colocación del portero, echa a correr, se acerca a pequeños pasos y con el interior derecho acaricia el balón, que supera la barrera y acaba entrando en la red, donde se acurruca como un cachorrillo: ¡0-2!

Tomi salta para celebrar el gol de su gran amigo, olvidándose por completo de su yeso... Un pinchazo de dolor le obliga a sentarse y a apretar los dientes.

Adriana, sentada a su lado, sonríe.

Mientras tanto, Nico ha ido corriendo al banderín y celebra su gol imitando los lentos movimientos del Tai Chi Chuan. Es su manera de darle las gracias al abuelo Ziao. Es suyo el mérito de que haya regresado al campo, lleve el brazalete de capitán de Tomi y haya marcado su primer gol en la liga entre equipos de once jugadores.

El ajedrez nunca le había dado tantas alegrías...

En cuanto el árbitro pita el fin del partido, los Cebolletas van corriendo a la grada donde está Tomi, que les anuncia:

—Tino no me ha vuelto a llamar, así que habrán acabado empatando a cero.

—¡Entonces somos los primeros de la clasificación! —exclama Fidu, lanzando al aire sus guantes.

Tomi marca un número y pregunta, lleno de emoción:

—¿Cómo van?

—Cero a cero, pero todavía no ha acabado —contesta el pequeño periodista—. A lo mejor es la última jugada... Están atacando los Huracanes... Un pase al número 8... dispara...

De repente se corta la comunicación.

Tomi llama varias veces, pero el móvil de Tino da ahora señal de estar apagado.

—Se le habrá agotado la batería —aventura João.

Los pupilos de Champignon lo siguen probando durante el viaje de regreso a bordo del Cebojet, pero no hay manera de contactar con el enviado especial del *MatuTino*.

¿Cómo habrá acabado el encuentro entre los Leones de África y el Club Huracán? Es el partido que puede decidir el torneo...

117

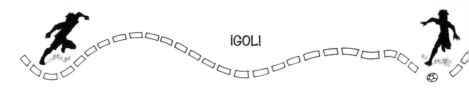

Tino está esperando a sus amigos delante de la parroquia de San Antonio de la Florida. En cuanto lo ven, los Cebolletas se asoman a las ventanas del Cebojet, impacientes por enterarse del resultado.

El pequeño periodista extiende los brazos.

—Lo siento —se excusa—. Han ganado los Huracanes por 1-0, gracias a un gol a un segundo del final...

—Pero ¿por qué has apagado el móvil? —le pregunta Tomi.

—No lo he apagado... —murmura el periodista—. Cuando he visto el balón al fondo de la red, lo he tirado al suelo y se ha roto...

9
¡CON AMIGOS ASÍ
NO SE PUEDE
ESTAR TRISTE!

Martes por la tarde.

El pequeño coche floreado de Gaston Champignon se detiene en el aparcamiento de la cárcel de menores de Madrid. El cocinero-entrenador muestra su carnet de identidad al guardia que está en la entrada y le explica:

—Tengo una cita con el alcaide.

A la misma hora los Cebolletas están delante del tablón de anuncios de la parroquia escrutando los resultados, aunque ya conocen el más importante.

5.ª JORNADA DE LA FASE DE VUELTA	
LEONES DE ÁFRICA - CLUB HURACÁN	0 - 1
VELOCIRRÁPTORES - BALONES DE ORO	3 - 2
ESTRELLAS - CAPITOSTES	1 - 1
SÚPER VIOLA - **CEBOLLETAS**	0 - 2

CLASIFICACIÓN		GOLEADORES	
CLUB HURACÁN	27	**TOMI**	**10**
CEBOLLETAS	**26**	RAFA	7
LEONES DE ÁFRICA	23	BRUNO	3
VELOCIRRÁPTORES	21	AQUILES,	
SÚPER VIOLA	12	ELVIRA, DANI,	
CAPITOSTES	10	ÍGOR, JOÃO,	
BALONES DE ORO	8	DANTE	1
ESTRELLAS	5		

—De no haber sido por ese gol en el último minuto, iríamos los primeros de la clasificación... —dice João.

—Podría ser el gol que decidiera la liga —añade Dani con un suspiro de resignación.

—No está claro, chicos —rebate Nico—. En la última jornada los Huracanes tienen que jugar en el campo de los Velocirráptores, que este domingo han vuelto a vencer y tienen 21 puntos. Son unos rivales duros de pelar. ¡Si no ganaran les podríamos superar en el último momento!

—¿Has oído, capitán? —pregunta Fidu—. Tendremos que animar al equipo que te ha destrozado la pierna...

Pero Tomi no le escucha. Está concentrado en la lectura de la última edición del *MatuTino*, que contiene dos artículos. El primero trata del «caso Aquiles», que ha sido suspendido durante cuatro jornadas y que no se ha vuelto a dejar ver en los entrenamientos. El segundo lleva por título «El Niño sobre el trono de Tomi».

«Rafa se ha puesto con siete goles en la clasificación de los goleadores —escribe Tino—, a solo tres dianas de las del capitán. En los dos próximos partidos los Cebolletas se medirán con las defensas más vulnerables de la liga, así que es más que probable que el italiano marque más de tres goles. Por primera vez en la historia de los Cebolletas, Tomi no será el pichichi de la temporada.»

Al capitán no se le había ocurrido esa idea, lo que podría indicar que no le importa lo más mínimo o, más bien, que está encantado de que Rafa marque un montón de goles, porque así los Cebolletas tendrán más posibilidades de vencer. Pero tiene que admitir que sí le molesta un poco.

Por eso también los días siguientes Tomi no está de muy buen humor y no se deja ver en los entrenamientos de los Cebolletas. Ver correr a sus compañeros para preparar los encuentros decisivos del torneo le entristece todavía más.

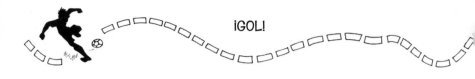

Por la tarde se queda encerrado en casa intercambiando mensajes con su amiga Eva y recordando las maravillosas vacaciones pasadas en China. Se siente como una cometa rota, que ya no puede volar. Si quiere jugar a fútbol, no le queda más remedio que hacerlo con las cartas de Nico, que le ha pedido prestadas. Juega solo a Ziao, colocando las figuras sobre la cama. O bien, como ha hecho hoy, baja al Paraíso de Gaston a charlar con Elena, de la que se ha hecho amigo, o a hacer compañía a su prima Clementina, que estudia en el jardín bajo el quiosco.

Elena le lleva una taza humeante a la mesa.

—He encontrado la tisana que te conviene —le dice con una sonrisa—. Pruébala...

El capitán bebe a pequeños sorbos.

—Está buena, ¿qué es?

—Majuelo y miel —contesta la joven de las trenzas rubias—. El majuelo es una planta que va bien para el corazón y levanta la moral cuando está un poco alicaída...

—¿Dónde has aprendido tantas cosas sobre las hierbas? —pregunta Tomi con una sonrisa.

—De mi abuelo Radek, que me transmitió su pasión por la naturaleza y luego en la Universidad de Plzen, mi ciudad —explica Elena—. Estudié botánica.

—¿Dónde está Plzen?

—En la República Checa —responde la chica—. Es una ciudad hermosa, célebre por su cerveza y por el portero Cech...

—¿El que juega en el Chelsea? —pregunta Tomi, sorprendido.

—Sí, lo conozco bien, iba a mi escuela...

En ese momento entra a la carrera Fernando, que les saluda sin detenerse.

—¡Hola, Elena! ¡Hola, Tomi!

Va junto a Clementina bajo la pérgola. La prima de Tomi se levanta y besa al hermano de Pedro al lado de la fuente.

El capitán hace una mueca.

—¿No te gusta el majuelo? —le pregunta Elena, preocupada.

—No, lo que no me gusta es que mi prima bese a ese tipo —farfulla Tomi.

Elena suelta una carcajada.

—¿Por qué? Fernando siempre se porta muy bien con ella. Y si un chico se corta la coleta para complacer a su novia, eso quiere decir que está muy enamorado.

—¡Sí, pero tú no sabes qué tipejos son su hermano y su padre! —rebate el capitán.

123

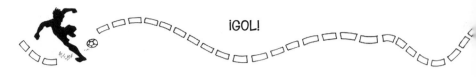

—Pero él es él. Tendrías que juzgarlo solamente por su manera de comportarse —insiste la joven—. Además, las personas pueden cambiar, especialmente cuando se enamoran...

—Tienes razón, Elena —reconoce el capitán.

—Acábate con calma el majuelo, verás como te sienta bien —concluye la chica de las trenzas—. Tengo que seguir trabajando. Este Paraíso está siempre a rebosar de gente. ¡Me gusta que, además de las señoras, vengan tantos hombres a descubrir mis hierbas!

—Pues yo sospecho que lo que han descubierto es lo guapa que eres...

Elena sonríe y se va a la barra.

Al final del entreno, los Cebolletas hablan de Tomi.

—No poder jugar los partidos decisivos de la liga debe de ser una auténtica tortura —comenta Fidu—. Yo en su lugar estaría de lo más triste...

—Podríamos inventarnos algo para animarle y que no piense constantemente en el balón —sugiere Nico.

—A mí se me ha ocurrido una idea... —interviene Sara con la mirada alegre. Y por la tarde la gemela telefonea a Tomi.

—¿Qué me dices de ir a ver a Mechones mañana, capitán? Iremos todos en bici...

—No sé si te das cuenta de que no estoy en condiciones de pedalear... —contesta Tomi.

—¡Pero si no tendrás que pedalear! —explica la gemela—. Lo único que tienes que hacer es estar listo a las tres. Te iremos a buscar. ¡Hasta mañana!

—Espera, Sara...

Pero la gemela ya ha colgado.

Al día siguiente, a las tres de la tarde, Tomi, con la ayuda de sus muletas, sale de casa y se encuentra a los Cebolletas montados en bici. Todos menos Sara y Lara, que conducen un bicitaxi y, con una reverencia, le dicen:

—¡Siéntese, *honolable* Tomi! No somos tan guapas como Eva, *pelo palecemos* dos chinas.

—¡De dónde la habéis sacado! —exclama Tomi, boquiabierto.

—La ha reciclado Augusto —contesta Lara—. ¡No hay problema que nuestro chófer no pueda resolver! ¡Sube, que te está esperando Mechones!

El capitán se instala detrás de las gemelas, extendiendo su pie enyesado, y luego da la señal de partida, con una sonrisa.

125

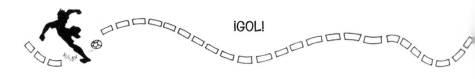

—¡El emperador está en su trono, podemos salir!

El cariñoso detalle de sus amigos le ha devuelto la alegría. ¡Ni un quintal de majuelo le habría sentado tan bien!

Y ahí no acaban las sorpresas...

Al llegar al campo donde está el poni, los chicos se lo encuentran con una silla en la grupa.

—Ya está curado —les explica Camilo—. Un paseo con un amigo le sentará bien. Necesito un voluntario...

Los Cebolletas se giran hacia Tomi, que pregunta incómodo:

—¿Yo?

—Pues claro —responde Fidu—. ¡Como tienes una pata inservible, aprovecha las del caballo!

Todos ríen con ganas.

Camilo ayuda al capitán a subir a la montura y luego, con las riendas en la mano, lleva al poni a dar una vuelta por su cercado.

Ahora sí que Tomi se siente realmente sobre un trono. Cuando pasa delante de ellos, sus amigos le aplauden y el capitán contesta levantando el brazo, como un emperador que desfila ante sus súbditos. Luego acaricia la crin rubia del caballito y piensa: «Querido Mechones, estamos los dos heridos. Tú ya no puedes

126

saltar obstáculos y yo no puedo chutar balones. ¡Pero pronto volveremos a hacerlo!».

Ese pensamiento le devuelve la alegría.

Observa a los Cebolletas sentados sobre la valla. Lo han transportado en un bicitaxi y le han hecho subir a caballo para que se le pasara el malhumor. ¡Con amigos así no se puede estar triste!

Domingo por la mañana.

Gaston Champignon recibe a Elena, la simpática profesora de gafitas rojas que entrena a los Estrellas, besándole con elegancia la mano.

—Es un enorme placer volverte a ver, queridísima Elena. ¿Cómo va la liga?

—¡Pocos puntos, pero mucha diversión! —contesta la profesora-entrenadora.

—¡Entonces estáis ganando! —salta Champignon—. ¡Quien se divierte siempre gana!

Gaston deja en el banquillo a algunos de sus jugadores más fuertes físicamente, como Rafa y Bruno, para que el partido sea más equilibrado y que se diviertan también los anfitriones, que son los últimos de la tabla y son más débiles físicamente.

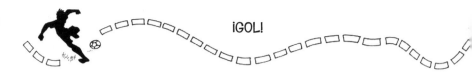

Tomi, sentado en la grada junto a Adriana, sigue conectado mediante el móvil con Tino, que ha ido a ver el partido de los Huracanes. Y tiene que confesar que ver a Rafa en el banquillo no le disgusta demasiado...

No han pasado ni cinco minutos cuando Tino le da la noticia del primer gol marcado por los Huracanes a los Capitostes. Al cabo de otros cinco minutos le informa del segundo tanto.

Al final del primer tiempo, con un 4-0 en el marcador, Tomi le aconseja abatido que vuelva a su casa...

El encuentro de los Cebolletas tampoco tiene historia. Becan marca el primer gol de cabeza, a pase de João, que redobla la ventaja tras uno de sus famosos saques de falta a la manera de Cristiano Ronaldo.

La jugada del 3-0 es fantástica y se construye en su totalidad con toques de primera.

SARA PASA A NICO, QUE DETIENE CON EL PECHO.

EL NÚMERO 10 CEDE EL BALÓN A ÍGOR.

EL GEMELO ASISTE AL VUELO A JULIO, QUIEN PASA TAMBIÉN AL VUELO A LARA.

LA GEMELA SE LANZA Y, CON LA CABEZA,

... ¡MANDA EL BALÓN AL TRAVESAÑO Y LUEGO AL FONDO DE LA RED!

Hasta Elena, la entrenadora rival, se levanta para aplaudir. Y, cuando su pequeño número 11 marca el gol del honor, ¡se pone a saltar como un canguro!

Un gol a los fabulosos Cebolletas es casi tan importante como ganar una liga...

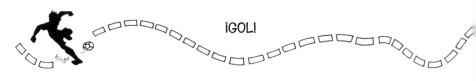

Rafa entra a diez minutos del final, después de un gol de Nico, que ha puesto el marcador en 4-1.

Tomi lo sigue desde la tribuna, algo preocupado.

En su primera jugada, el italiano echa a correr y se deshace de cinco contrarios como si fueran los palos de un eslalon, hasta que dispara a portería: ¡5-1!

El segundo gol lo marca de tacón a pase raso de Julio.

En el último segundo, justo cuando el árbitro se dispone a pitar el final del encuentro, Rafa dispara un cañonazo desde veinte metros, por lo menos. El balón vuela por el aire como una flecha de Adriana y acaba también al fondo de la red.

Pero el colegiado anula el gol, declarando que ya había silbado el final.

Tomi suelta un pequeño suspiro de alivio.

Cebolletas 6 – Estrellas 1.

De modo que la liga se decidirá en la última jornada.

En el vestuario, Gaston Champignon hace un anuncio inesperado.

—He organizado un partido amistoso para que nos preparemos para el encuentro contra los Balones de Oro.

—¿Contra quién? —pregunta João, curioso.

—Os lo diré el jueves, cuando juguemos —responde en tono de misterio el cocinero-entrenador.

10
EL GESTO DE UN AMIGO DE VERDAD

El tablón de anuncios del martes no contiene grandes sorpresas, pero sí da un pequeño margen de esperanza a los Cebolletas... Nico es el primero en darse cuenta.

6.ª JORNADA DE LA FASE DE VUELTA	
CEBOLLETAS - ESTRELLAS	6 - 1
LEONES DE ÁFRICA - VELOCIRRÁPTORES	2 - 2
BALONES DE ORO - SÚPER VIOLA	0 - 0
CLUB HURACÁN - CAPITOSTES	7 - 2

CLASIFICACIÓN	
CLUB HURACÁN	30
CEBOLLETAS	**29**
LEONES DE ÁFRICA	24
VELOCIRRÁPTORES	22
SÚPER VIOLA	13
CAPITOSTES	10
BALONES DE ORO	9
ESTRELLAS	5

GOLEADORES	
TOMI	**10**
RAFA	9
BRUNO	3
JOÃO	2
DANTE	2
AQUILES, ÍGOR	
ELVIRA, DANI,	
BECAN, LARA	1

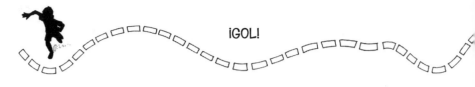
—¿Habéis visto? ¡Los Velocirráptores han empatado en casa con los Leones de África! —salta el número 10—. Eso quiere decir que están en forma, así que el domingo pueden pararles los pies a los Huracanes y ponernos la liga en bandeja.

—Sería lo mínimo, teniendo en cuenta que nos han machacado al capitán... —comenta Fidu.

Esta semana Tomi vuelve a leer el *MatuTino*, que hace nuevos comentarios sobre el trofeo pichichi. Título: «¡El Niño a un paso de alcanzar a Tomi!».

El pequeño periodista ha escrito lo siguiente: «Aunque Nico, el gran amigo del capitán, todavía no le ha dado un solo pase a Rafa, el italiano logrará superar a Tomi. Solo le falta un gol para alcanzarlo y seguro que contra los débiles Balones de Oro marcará al menos un par. A menos que el míster lo deje en el banquillo durante todo el partido...».

—Pero ¿habéis visto lo que ha escrito Tino? —pregunta Tomi, furioso—. ¡Según él, el míster no deja entrar a Rafa para hacerme un favor!

—No le hagas caso, capitán —le aconseja Lara—. A Tino le divierte provocar. Ya sabes que eso es superior a sus fuerzas... Lo único que no me gusta es que ya no venga Aquiles. Apuesto algo a que nuestro periodista no se habría atrevido a escribir ciertas cosas si Aquiles estuviera en el equipo...

Jueves por la tarde.

Es el día del misterioso partido amistoso.

Los Cebolletas suben al Cebojet sin saber adónde se dirigen. Gaston Champignon no les ha revelado su secreto.

La primera sorpresa se produce al cabo de unos minutos. Augusto detiene el autobús en la calle Princesa y sube a bordo un chico que lleva la bolsa de los Cebolletas en bandolera.

—¡Aquiles! —exclaman a coro sus compañeros de equipo, levantándose de sus asientos para saludarle «chocándole la cebolla».

—¡Bienvenido de nuevo! —le saluda Sara, dándole un beso en la mejilla—. ¿Qué había sido de ti?

—Tenía que resolver un par de asuntillos... —contesta Aquiles poniendo cara de matón, hinchando el pecho y guiñando el ojo a sus amigos.

Todos sueltan una carcajada.

El Cebojet se para en la acera de enfrente de la cárcel para menores.

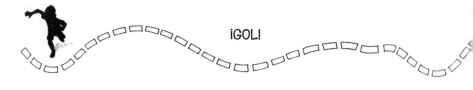
—¡Pero si es una prisión! —salta Nico, señalando el edificio que tienen delante.

—Mi hermano Héctor vive aquí —dice Aquiles.

Nadie dice esta boca es mía.

Los chicos se identifican ante el vigilante de la entrada y, guiados por Gaston Champignon y un par de guardas uniformados, caminan un buen trecho, franqueando por lo menos siete verjas de hierro. El ruido de las llaves retumba en el pasillo.

Los Cebolletas se miran en silencio y sin decir palabra se cambian en una sala vacía, con algunas sillas apoyadas contra la pared. A las gemelas y a Elvira les han preparado una sala más pequeña.

Al cabo de un rato se encuentran en un campito de fútbol para equipos de cinco jugadores, de cemento, rodeado de barrotes y cerrado por arriba por una red. Por una puertecita salen chicos en chándal o calzones. Dos son negros y todos tienen entre quince y dieciséis años. Casi todos llevan los brazos tatuados.

Los cinco guardas que los acompañan se distribuyen en torno al campo.

Aquiles reconoce a Héctor y va corriendo a su encuentro. Se abrazan y luego vuelven junto a los chicos de Champignon.

134

—Aquí tienes a los famosos Cebolletas... —dice Aquiles presentando el equipo a Héctor.

—Ya veremos si sois tan buenos como dice mi hermano. ¿Quién es Tomi?

—Hola, soy yo —responde el capitán dando un paso adelante con sus muletas.

Héctor mira el pie enyesado.

—Aquiles dice que eres una fiera, pero por lo que parece has encontrado a alguien que te ha logrado frenar... —comenta.

—¡Sí, pero antes le metí dos caños en diez segundos! —responde Tomi.

Héctor sonríe.

—Vamos a jugar, que no tenemos demasiado tiempo. Dentro de una hora nos llevarán de vuelta a la celda.

Champignon escoge a los cinco chicos que saldrán en primer lugar. Los Cebolletas estrechan la mano de los reclusos y el guarda que hace de árbitro pita el inicio del encuentro.

Tomi, en lugar de seguir el amistoso, mira a su alrededor. Observa las

HÉCTOR

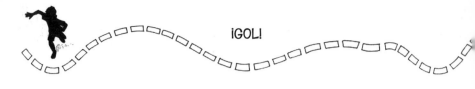
ventanas con barrotes de las celdas de la prisión, las caras de algunos chicos asomados para contemplar el partido, los zapatos apoyados en los alféizares y la ropa colgada de los barrotes.

Piensa que debe de ser terrible vivir ahí dentro. Los reclusos tendrán delitos que purgar y es justo que lo hagan. Pero, se pregunta el capitán, ¿cuántos de esos chicos habrán tenido una familia como la mía? ¿Cuántos habrán podido ir a la escuela? ¿Cuántos habrán tenido un entrenador como Champignon? Elena tiene razón: todo el mundo puede cambiar y mejorar si encuentra a las personas adecuadas.

Aquiles le marca un gol a su hermano, que está entre los palos, pero enseguida los dos chicos se dan un abrazo como si fueran compañeros de equipo. Becan ha descubierto que uno de los rivales es albanés y cuando lo sustituyen se queda en el banquillo para charlar con él. Champignon habla con otros presos.

Los amigos de Héctor juegan con gran entusiasmo y se divierten como locos.

«Pasar el día encerrado en un agujero de cemento debe de dar unas enormes ganas de correr», piensa Tomi.

Al final del partido, que termina con un empate a 6, y antes de que los guardas ordenen a los reclusos que

136

vuelvan a sus celdas, los dos equipos posan mezclados en el centro del campo para que Champignon les haga una fotografía.

Aquiles se ha subido a hombros de su hermanote, como en la foto colgada de la pared de su casa, la que tiene el mar de fondo.

El antiguo matón se acerca al cocinero-entrenador y le anuncia:

—Mi hermano quiere decirle algo, míster.

—Solo quería agradecerle que haya dejado a Aquiles jugar en su equipo —explica Héctor—. Y, si no se porta bien, le autorizo a regañarle todo lo que quiera... ¡Tiene que ser un hombre de bien, no como su hermano!

—No te preocupes, Héctor —contesta Champignon, atusándose el bigote por la punta derecha—, Aquiles se está portando como todo un deportista. En toda la liga no le han amonestado una sola vez.

Aquiles sonríe a su entrenador, agradeciéndole con la mirada esa mentirijilla, que ha enorgullecido a Héctor.

En el Cebojet, durante el viaje de regreso, Fidu pregunta en voz baja:

—Héctor y Aquiles... Esos nombres me dicen algo. Ya los había oído juntos. En un tebeo japonés, ¿a que sí? ¿O son dos actores cómicos?

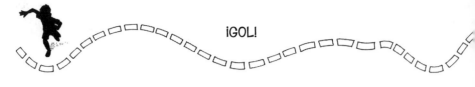

Nico agita la cabeza, desconsolado.

—¡Qué tebeo ni qué ocho cuartos! ¡En la *Ilíada*, cabezón! ¡Aquiles y Héctor son dos héroes de la Grecia antigua!

Domingo por la mañana.

Ha llegado el gran día. Hoy finaliza la liga. Los Cebolletas juegan en el campo de los Balones de Oro, mientras los Huracanes, que encabezan la clasificación con un punto de ventaja, juegan a domicilio en casa de los Velocirráptores.

Tino está en el campo de estos últimos, conectado telefónicamente con Tomi, que sigue a sus amigos desde la grada, sentado junto a Aquiles. Gracias a la feliz idea de Champignon de disputar un partido en la cárcel, el antiguo matón ha vuelto a ser el entusiasta hincha de los Cebolletas de siempre... No puede salir al campo porque ha sido amonestado, pero anima a sus compañeros con fuertes gritos de entusiasmo.

El capitán está de lo más emocionado, como todos los hinchas de los Cebolletas, que además han acudido en masa al campo rival. Por primera vez está también Elena, sentada junto a Lucía y Daniela. Se diría

138

que al esqueleto Socorro le castañetean los dientes de la calavera por la tensión. El gato Cazo, naturalmente, duerme en su olla.

Los Balones de Oro visten su elegante camiseta de rayas azules y doradas. Como a lo mejor recuerdas, el encuentro de ida terminó en empate a cero bajo una fuerte nevada, el único empate a cero de los Cebolletas durante toda la temporada.

En el partido de vuelta los Balones de Oro confirman su gran calidad en defensa. A pesar de contar con un Nicözil más, los Cebolletas no logran crear peligro. En parte se debe al nerviosismo por la importancia del encuentro.

Suena el móvil de Tomi.

—¿Qué ha pasado? —le pregunta Aquiles.

—¡Han marcado los Velocirráptores! —exclama el capitán—. ¡En este momento estamos empatados en el primer lugar!

Aquiles se pone en pie y suelta un poderoso grito, que hace que hasta el árbitro vuelva la cabeza.

—¡Los Huracanes pierden!

La noticia es una especie de sacudida eléctrica, que infunde nuevas energías a las piernas de todos los Cebolletas.

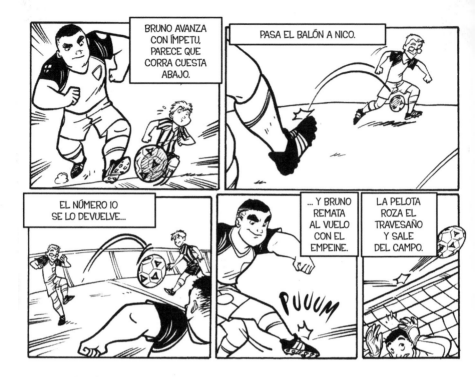

La tribuna reacciona con una barahúnda de exclamaciones y gritos de asombro.

El móvil de Tomi vuelve a sonar.

—Los Huracanes han empatado... —anuncia el capitán, cabizbajo.

Los rivales vuelven a encabezar la clasificación.

Faltan cinco minutos para el descanso cuando Nico recibe un pase de João. Se encuentra de espaldas a la portería contraria. Bruno, que llega a la carrera, le pide el balón.

—¡Pasa!

El número 10 finge ir a pasárselo, pero lo manda de un taconazo a su espalda, dejando así solo al Niño frente al portero.

De las gradas se eleva un murmullo de asombro y enseguida comienza un carnaval de tambores, cánticos y gritos, porque Rafa ha marcado: ¡0-1!

Elena, que se está divirtiendo un montón, abraza a Lucía y a Daniela. También se abrazan Aquiles y Tomi.

Al final del primer tiempo del último encuentro de la liga, los Cebolletas encabezan la clasificación, con un punto de ventaja sobre los Huracanes.

En el vestuario, Champignon explica las sustituciones recordándoles que, aunque se trata de un partido decisivo, no quiere traicionar sus reglas: en su equipo siempre juegan todos, porque todos tienen derecho a divertirse.

El Niño agradece a Nico su espléndido pase de gol, el que le ha dado de tacón.

—Al menos en la última jornada, me habrás permitido marcar incluso a mí...

—Te he guardado mi pase más importante para el partido más importante —contesta el número 10.

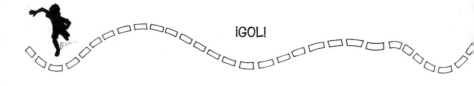

Los Cebolletas mantienen el control del encuentro también a lo largo del segundo tiempo, esforzándose para no desequilibrarse demasiado, para evitar contraataques.

Tomi y Aquiles, que durante el descanso se han ido a comprar un helado al bar del campo, se disponen a seguir la reanudación detrás de la portería de los Balones de Oro, para poder gritar a sus compañeros noticias y consejos.

Cuanto más pasan los minutos más crece la tensión.

Tomi mira sin parar su móvil y le suplica:

—No suenes, no suenes...

Tiene unas ganas inmensas de apagarlo.

Ya solo diez minutos separan a los Cebolletas de la victoria en la liga, pero justo cuando el capitán está consultando el reloj se oye un ring.

Tomi y Aquiles se miran con cara de susto.

Y, en efecto, Tino anuncia un gol de los Huracanes, que se colocan de nuevo en cabeza de la clasificación.

Los dos Cebolletas deciden no decir nada a sus colegas, para que no se desmoralicen, y en los últimos minutos de juego suplican de nuevo al móvil, pero esta vez diciéndole lo contrario que antes:

—Suena, suena, suena...

Cuando faltan dos minutos para el silbido final, su plegaria es atendida: ¡Tino les llama desde el campo de los Velocirráptores!

Tomi responde veloz como un rayo.

—¿Empate?

Pero luego pone una mueca de incredulidad y pregunta:

—¿Cómo que dos goles?

Cuando cuelga explica a Aquiles:

—Los Huracanes han marcado dos goles más. Ganan por 4-1 a un minuto del final. Los Velocirráptores se han hundido. Qué lástima, no hay derecho...

Aquiles pega un puñetazo de frustración a la valla del campo.

En ese momento entra João en el área y lo derriban por detrás: penalti.

Los Cebolletas ven a Tomi y Aquiles detrás de la portería y se les acercan.

—¿Qué pasa? —pregunta Sara con los ojos más felices del mundo—. ¿Hemos ganado la liga?

Al capitán le gustaría contestarle que sí, porque los demás Cebolletas agolpados junto a la red también tienen la misma mirada, pero no le queda más remedio que decir la verdad.

143

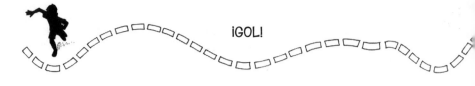

—No, han ganado los Huracanes. Hemos acabado los segundos.

Al ver la cara de decepción que ponen de repente sus amigos, como si hubieran visto cerrada una tienda de chucherías, le duele todavía más la patada con la que le rompieron el maléolo.

El árbitro pita para que los Cebolletas regresen al campo.

—Tenemos que disparar un penalti que no servirá para nada... —bufa Rafa.

—Te servirá a ti para ganar el trofeo de pichichi del equipo —le recuerda Tomi.

El Niño se alegra.

—¡Es verdad, estamos empatados a diez goles!

El italiano coloca cuidadosamente el balón en el punto de penalti.

Tomi sabe que acabará en la red. El Niño lanza muy bien las penas máximas. El capitán se dice una y otra vez que es justo, porque Rafa ha disputado un estupendo campeonato y merece ser el pichichi del equipo. Se lo repite constantemente, para no escuchar una parte de su fuero interno, a la que le gustaría ver ese balón fuera o en brazos del portero...

EL ITALIANO TOMA CARRERILLA Y DISPARA ALTÍSIMO.

LA PELOTA SUPERA EL LARGUERO, LA VALLA DE SEPARACIÓN...

... Y CAE SOBRE TOMI.

EL CAPITÁN SUELTA SUS MULETAS...

... Y LA BLOCA.

En el banquillo, Gaston Champignon se acaricia el bigote por la parte derecha, mientras el árbitro pita el final del partido.

Rafa se acerca a la valla y dice:

—No era justo que marcara. Yo estaba en el campo y tú no. Reanudaremos el combate en igualdad de condiciones en la próxima liga.

—¡Y gracias al combate la próxima vez la liga la ganaremos nosotros! —le asegura Tomi.

11
EL DESAFÍO
DE PEDRO

Siguiendo la tradición, los Cebolletas celebran el final de la liga con una gran cena en el Pétalos a la Cazuela, a base de los platos exquisitos firmados por el laureado chef Gaston Champignon.

La novedad del año es que el Paraíso de Gaston ha sido transformado en sala de baile para después de la cena. Ahí es donde, rodeado de sus queridas flores, el cocinero-entrenador pronuncia el discurso de fin de temporada, antes de que comience el baile.

—Queridísimas amigas, queridísimos amigos, queridísimos Cebolletas. Este torneo ha vuelto a estar lleno de alegría y diversión, sin contar con el accidente de nuestro capitán, claro... —precisa—. Quiero agradeceros a todos la pasión que le habéis puesto, jugando o apoyando a nuestro equipo. Al principio expliqué a los chicos que iban a entrar en un planeta nuevo, el del fútbol entre equipos de once jugadores, y que la primera liga

146

nos serviría para tomar confianza con ese nuevo mundo. Pero mis jugadores me han dejado pasmado y se han puesto enseguida a plantar cebollas en el nuevo planeta... ¡Teníamos miedo del campo grande, pero al final hemos sido más grandes que el campo!

Una ovación interrumpe el discurso.

Champignon pide silencio levantando el cucharón.

—En el descanso del último partido éramos los primeros de la clasificación... Pero si estoy orgulloso de mis Cebolletas no es por eso: hemos ganado nuestra propia liga porque, a pesar de encontrar tantos problemas, hemos sabido superarlos juntos. Hemos estado a punto de perder a Nico y a Tomi y luego a Aquiles... Pero al final hemos acabado todos juntos, unidos como una magnífica flor. ¡En este vivero no hay una sola flor tan hermosa como mis Cebolletas! Gracias...

Estalla una nueva ovación. Los aplausos y cánticos retumban en la sala. La señora Sofía abraza a su marido, que se ha emocionado y tiene los ojos húmedos como cuando pela cebollas.

En cuanto se desvanecen los aplausos, Champignon retoma la palabra.

—Además, en realidad, todavía estamos a tiempo de ganar algo concreto, una verdadera copa...

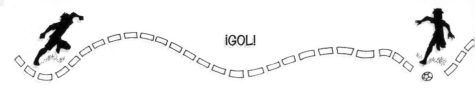

Los Cebolletas no paran de mirarse, intrigados.

El cocinero-entrenador saca del bolsillo de sus pantalones un sobre blanco, finge leerlo por primera vez y anuncia:

—Lo envía la Federación de Fútbol, sección de Madrid. Veamos qué nos quieren decir esos señores...

Saca una hoja del sobre y la lee en silencio, mientras la curiosidad de los chicos crece sin parar.

—¡Vamos, míster, no nos tenga en ascuas! —exclama al fin Sara.

—¡Parece que han seleccionado a los Cebolletas para representar a la Comunidad de Madrid en el Torneo del Juego Limpio, que se celebrará una vez más en Sevilla, en el estadio Sánchez Pizjuán! —declara al final Champignon.

—¡Qué suerte poder ir a Sevilla otra vez, y en este caso para representar a Madrid! —exclama Nico con entusiasmo.

—Pero ¿por qué nos habrán vuelto a elegir? —se pregunta Fidu, perplejo—. Aquiles dejó K.O. a un adversario con un directo de derechas y le cayeron cinco partidos de suspensión...

Los Cebolletas ríen con ironía mirando al antiguo matón, que está un poco cohibido.

—Es verdad —responde el cocinero-entrenador—. No fue un gran ejemplo de juego limpio... Pero la Federación ha querido premiarnos por haber obtenido un resultado tan brillante a pesar de ser nuestra primera temporada en una nueva liga y por nuestra idea de saludar a nuestros adversarios al final de cada encuentro, poniéndonos en dos filas. A partir del próximo campeonato lo harán todos los equipos. Hemos dado buen ejemplo. Por eso a comienzos de junio nos mediremos nuevamente a siete equipos de otras comunidades, premiados como nosotros por un hermoso gesto de deportividad, ¡y trataremos de reconquistar la Copa del Juego Limpio!

Los Cebolletas celebran la noticia abrazándose y transformándose en una sola flor, colorida y feliz.

Tomi siente un pequeño pinchazo de dolor, no en el pie, sino en el corazón: no podrá jugar en Sevilla, en el campo fetiche de la selección nacional. En junio todavía no estará curado. Tendrá que conformarse con quedarse en el banquillo animando a sus amigos y dándoles preciosos consejos.

El cocinero-entrenador retoma la palabra.

—Y ahora, amigos, antes de ponernos a bailar, creo que hay alguien que quiere hacer un anuncio...

Violette, que ha viajado aposta desde París, toma de la mano a su marido Augusto y lo conduce al centro de la sala.

El chófer del Cebojet mira a su alrededor y dice:

—A mí no se me da tan bien hablar en público como a Champignon... Bueno, pues veréis... Sí... Es decir, ¡Violette está embarazada!

Luego, entre aplausos, besa a su hermosa pintora.

—¡Y eso no es todo, amigos! —exclama Augusto para pedir atención—. Hemos pensado mudarnos una temporada a Sevilla, donde espero que nazca nuestro retoño... Y, naturalmente, coincidiremos una vez más en la Copa del Juego Limpio. En esta ocasión os haré de guía y espero que me perdonéis que la última vez no os hiciera demasiado caso...

—¡No te lo perdonaremos nunca! —salta Champignon—. O casi nunca: para eso tendrías que concederme el primer baile con tu mujer...

—¡Pues en ese caso no hay nada que hacer! —replica Augusto—. A menos que ella quiera, claro.

Siguiendo su ejemplo, se forman otras nuevas parejas de baile.

—Tu marido me ha pedido un baile. ¿Puedo aceptar? —pregunta Elena a Lucía.

—Adelante —responde la madre de Tomi, sonriendo—. Pero si te cuenta que ha estado en la Luna, no te lo creas...

—En la Luna no —interviene Armando, acompañando a la diosa de las tisanas hacia la pista—, pero un día que pasaba por Marte...

El padre de Becan baila con la madre de Aquiles.

Tomi y Pedro observan a Clementina y Fernando sin demasiado entusiasmo.

—Están tan pegados que no podrías colar en medio un billete de cinco euros... —comenta el delantero centro de los Tiburones Azules.

—Pues sí —conviene Tomi—, tengo la impresión de que corremos el peligro de convertirnos en parientes...

—¿Puedo firmarte el yeso? —le pregunta el hermano de Fernando.

—Pero no pongas tacos... —farfulla Tomi.

Pedro coge un rotulador y escribe: «Cúrate del todo, que la próxima liga nos veremos las caras en el campo. Pedro, el imbatible».

—¿Qué quieres decir? —pregunta el capitán después de leer la frase.

—Es muy fácil. Significa que la próxima liga nosotros también disputaremos el torneo en campo grande y, na-

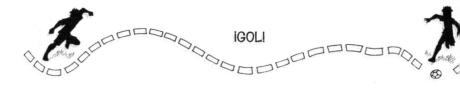
turalmente, ¡tenemos la intención de ganarlo! —contesta Pedro con una sonrisa de desafío.

¿Cómo irá el embarazo de Violette?

¿Qué les espera a los Cebolletas en su nuevo torneo en Sevilla?

¿Se curará Tomi a tiempo para jugar finalmente en el campo fetiche de la selección nacional?

¿Volverá a aflorar en la liga entre equipos de once jugadores la vieja rivalidad entre los Cebolletas y los Tiburones Azules?

¿Quién se hará con el título de pichichi, Tomi o Rafa?

¿Irá también Eva a Sevilla?

Te lo contaré pronto! O, más bien, ¡prontísimo!
«¡Choca esa cebolla!»

7.ª JORNADA DE LA FASE DE VUELTA	
CAPITOSTES - LEONES DE ÁFRICA	2 - 1
BALONES DE ORO - **CEBOLLETAS**	0 - 1
VELOCIRRÁPTORES - CLUB HURACÁN	1 - 4
SÚPER VIOLA - ESTRELLAS	2 - 3

CLASIFICACIÓN GENERAL		CLASIFICACIÓN GOLEADORES	
CLUB HURACÁN	33	**TOMI**	**10**
CEBOLLETAS	**32**	**RAFA**	**10**
LEONES DE ÁFRICA	24	BRUNO	3
VELOCIRRÁPTORES	22	JOÃO	2
SÚPER VIOLA	13	DANTE	2
CAPITOSTES	13	AQUILES, ÍGOR	
BALONES DE ORO	9	ELVIRA, DANI,	
ESTRELLAS	8	BECAN, LARA	1

153

ÍNDICE

No te pierdas las aventuras
de los Cebolletas en: